Louise Masson

Une étiquette à tout prix

Guide pour conquérir le monde des affaires

Préface de Lise Thibault,
LIEUTENANT-GOUVERNEUR DU QUÉBEC

Flammarion
Québec

Préface

Monsieur Jourdain – Est-ce que les gens de qualité en ont ?
Maître de musique – Oui, monsieur.
Monsieur Jourdain – J'en aurai donc. Cela sera-t-il beau ?
Maître de musique – Sans doute.

MOLIÈRE, *LE BOURGEOIS GENTILHOMME*, 1670

C e n'est pas d'hier que les gens se cherchent des maîtres pour les guider vers les bonnes manières. Sans contredit, l'art de la table est celui qui affiche avec le plus d'acuité le degré de connaissances acquises en la matière.

À cela s'ajoutent les pratiques traditionnelles de chaque culture. Elles se transmettent tantôt par les familles, tantôt par les éducateurs, tantôt par les groupes d'influence. D'une génération à l'autre, les « bonnes manières » se balancent entre la tendance du moment et le classicisme établi.

En parcourant les pages de cet ouvrage, vous trouverez un guide capable de vous indiquer l'art de faire correctement les choses par des gestes simples. Tendre vers le raffinement élève l'humain dans toute sa dignité… à condition, comme le démontre Molière, de s'entourer de bons maîtres ! Soyons confiants, Louise Masson sait bien faire les choses.

LISE THIBAULT
Lieutenant-gouverneur du Québec

$\mathcal{M}$erci à mes lectrices et lecteurs
de ne pas m'en vouloir d'avoir utilisé le masculin
pour englober les deux genres, mes intentions étant pieuses ;
c'était pour en faciliter la lecture et aussi par courtoisie féminine.

À E., mon vade-mecum pensant et aimant
qui a eu l'élégance de m'inspirer ce livre.

À Sissy, dont l'incitation a été une provocation.
Merci pour ton soutien constant.

Avant-propos

*T*ristan Bernard pensait à juste titre que la seule chose qu'on perdait à être poli était sa place dans le métro !

En entendant le mot «étiquette», beaucoup de gens se sentent menacés ou intimidés. Pourquoi ? Cet art de vivre existe justement pour rendre le monde plus supportable, plus agréable, moins violent ; pas pour le compliquer. «La plupart des jeunes gens croient être naturels, lorsqu'ils ne sont que mal polis et grossiers», se plaignait déjà La Rochefoucauld. Pourtant, la politesse est ce qui nous place au-dessus des dinosaures. La notion de respect de soi-même et des autres est-elle devenue un anachronisme ?

Le civisme est ce qu'on a trouvé de mieux pour lubrifier les rouages souvent complexes de la société. L'effondrement de la politesse est plus à craindre qu'une émeute ou une guerre. Les entreprises qui veulent atteindre une dimension internationale ont compris l'urgence et le besoin d'initier leur personnel à l'étiquette, et la demande est en pleine croissance.

Ce guide est établi sur des règles, des stratégies et des tactiques qui sont à la base de toute négociation dans le marché global, qui exige beaucoup de souplesse mentale, de présence d'esprit, de concentration dans tout ce que les affaires comportent de situations socioprofessionnelles. Il souligne l'importance d'ajouter au savoir-faire la plus-value du savoir-vivre applicable à l'accueil, à la communication, aux voyages, aux repas d'affaires comme hôte ou invité d'honneur, aux négociations avec les dignitaires gouvernementaux et internationaux.

Cet ouvrage s'adresse aux professionnels de tous les niveaux de l'échelle corporative : aux représentants d'entreprise qui souhaitent améliorer la qualité de leur rendement ; aux jeunes cadres qui ont des aspirations bien déterminées pour entrer dans l'arène de la compétition nationale et internationale ; aux entrepreneurs et aux directeurs d'entreprise qui souhaitent augmenter leur influence et mener une interaction plus profitable.

Les erreurs commises en affaires proviennent moins de l'incompétence technique et professionnelle que de la méconnaissance des habitudes différentes des nôtres et de l'incapacité à s'y adapter. Malheureusement, les Nord-Américains méprisent souvent la courtoisie subtile des cultures étrangères, ce qui leur vaut de mal conclure le marché souhaité ou de ne pas le conclure du tout.

Il est urgent d'améliorer la qualité du rendement en créant une image qui projette le professionnalisme, l'assurance, le style, l'expérience, la tolérance, la crédibilité et le leadership. Savoir se présenter, accueillir, négocier avec tact, utiliser la technologie de la communication avec efficacité et élégance, inviter au restaurant, représenter son entreprise ici et dans le monde conduisent infailliblement au succès.

La compétition, c'est la comparaison. Choisissez d'être le meilleur !

Les présentations professionnelles

*L'égoïsme inspire une telle horreur
que nous avons inventé la politesse
pour le cacher, mais il perce
à travers tous les voiles
et se trahit en toute rencontre.*

Schopenhauer

*D*e plus en plus, les accolades et les embrassades sont d'usage en Occident au moment des présentations, et, dans le milieu professionnel, on ressent du malaise à cet égard. Faudrait-il souligner que s'embrasser est un geste intime qui ne se prête pas tout à fait à la négociation ? Il apparaît extravagant de voir deux hommes ou deux femmes d'affaires ou l'une et l'autre, dans un débordement d'enthousiasme, s'entrouvrir amplement les bras pour une accolade généreuse et un baiser juteux qui créent plus d'embarras que de confort. Pour parer à cet assaut ardent, un petit conseil : reculez de deux pas, offrez un sourire désarmant et, surtout, une main amicale mais ferme au bout d'un bras bien raide.

Dans le doute, la bonne poignée de main, sincère ou pas, est le contact physique qui laisse le moins de traces et qui s'adapte à toutes les situations. En outre, elle ne manque jamais d'éloquence.

☼ On s'adresse d'abord à la personne de rang plus élevé à qui on présente un membre du personnel. En affaires, la hiérarchie est basée sur le rang d'une personne et neutralise l'identité homme/femme. Ainsi, on présente sa secrétaire à son patron.

🍂 **Dans le milieu professionnel, on évite de présenter son patron à un ministre ou à un client en utilisant le prénom seulement.**

☼ Pour que les présentations servent de brise-glace, accoler au nom le titre de la personne, le nom de son entreprise, son pays d'origine (s'il est un visiteur international, merci de ne pas dire «étranger», et ses passe-temps, qui servent souvent de préambule à une conversation. Cette information est capitale pour poursuivre les affaires.

🍂 **Si, en dehors du nom, on ne sait rien de la personne qu'on présente, il vaut mieux s'en tenir à cela plutôt que d'ajouter des fleurons imaginaires.**

☼ Même en Amérique du Nord, il est capital, en faisant les présentations, d'être debout et d'utiliser nom et prénom. On ne simplifie pas ce dernier dans le style : Michou pour Micheline, Bob pour Robert, So-So pour Sophie.

🍂 **Le patron ne tombe pas dans la condescendance et le manque de respect en présentant sa secrétaire dans le mode habituel : «Ça, c'est Jo-Jo, la secrétaire !»**

☼ Merci d'oublier le «ça» (ce paquet de viande !) et dire : «Je vous présente madame Johanne Dupuis, <u>ma</u> compétente secrétaire, sans qui vous n'auriez peut-être pas eu votre rendez-vous...»

Devant deux personnes qu'il faut présenter et dont on a oublié le nom, on ne se suicide pas. On fait preuve de modestie et on dit : «Je vous laisse vous présenter tous les deux, car je sais que vous ferez cela beaucoup mieux que moi !»

🍂 **Ne pas se dérober lâchement quand il faut présenter des gens qui ne vous ont pas laissé un souvenir impérissable.**

☼ Si on se trouve en face d'une personne qui se souvient de soi et qu'on est soudainement atteint d'amnésie, on dit avec élégance : «Quel plaisir de vous revoir. Mais vous avez certainement un avantage sur moi, car j'ai du mal à retrouver votre nom dans ma mémoire défaillante.»

Il serait maladroit de déclarer : «Dites-moi encore comment se prononce votre nom de famille ?» (On afficherait l'air idiot s'il répondait : «Martin !»)

Et dire : «Je dois souffrir d'Alzheimer en ce moment» est simplement crétin.

Les présentations sociales

L'effacement et le respect
sont le principe de la politesse.
MENG TZU

On veut tout savoir sur presque tout le monde en donnant l'impression du contraire. Mais une chose est certaine, chaque personne est sensible à sa première identité, son nom. Puisqu'on aime qu'il soit dit avec justesse, on n'écorche ni ne marmonne celui des autres. On prend soin également d'y ajouter tous les attributs inhérents à la personne qui le porte et on se fait un point d'honneur de la valoriser sans exagération ni condescendance.

Quelle maladresse de présenter quelqu'un en le montrant de l'index et en le désignant par le méprisable : «Ça, c'est Gugusse!» La personne serait en droit de vouloir s'échapper, qu'on ait ou non des liens avec elle.

La considération et la courtoisie nous séparent (encore un peu) des animaux et s'apprennent dès la naissance.

Savoir faire suivre les présentations d'une aimable conversation est d'une précieuse utilité, car cette conversation sert souvent de bouée de sauvetage, apporte son lot de renseignements et fait briller le sujet aux yeux de la société. Ne pas oublier le sourire, qui vaut parfois plus que l'expression verbale.

✿ Présenter en respectant la hiérarchie : un homme à une femme, une personne jeune à une personne plus âgée.

Valoriser les personnes qu'on présente :

Un enfant s'adresse d'abord à sa mère en disant : « Maman, je te présente Richard Gauthier, le meilleur en mathématiques de la classe. » – « Richard, je te présente ma mère, Marie Côté. » ou « Richard, je te présente ma mère, madame Côté. » C'est la mère qui tend la main la première.

En faisant les présentations, on se tient obligatoirement debout.

⚡ **Richard n'offre pas sa main à serrer. C'est madame Côté qui le fait.**

✿ Il est impératif de savoir bien dire le nom des personnes qu'on présente. Plus le nom est difficile et long, plus on vous sera reconnaissant d'avoir su le prononcer.

⚡ **Puisqu'on est sensible à son nom, on n'écorche pas celui des autres. Faites-en la preuve. Si vous dites de monsieur Brassard qu'il s'appelle Brossard, il réagira et vous corrigera sur-le-champ.**

Avec des personnes qui ne se connaissent pas, ne pas éviter de les présenter.

✿ L'usage du prénom seulement est courant dans le monde artistique et le monde du spectacle. Dans le milieu professionnel des affaires, cela représente un risque. Il faut attendre l'autorisation de la personne pour en venir à l'appeler par son prénom ; autrement, on a l'air de vouloir imposer son style et de devenir familier.

⚡ **Il n'est pas indispensable de présenter quelqu'un en faisant des blagues déplacées ou stupides. Faut-il penser que c'est mignon et original de présenter sa femme comme son « affectueux coussin », ou son « deuxième moi », ou en disant « elle est le cou et moi la tête et me fait tourner la tête », ou « mon associée matrimoniale », ou encore « ma poupée » (surtout si ladite poupée est d'âge mûr) ? C'est franchement stupide et incongru.**

✿ Quels que soient l'âge et la situation dans laquelle on se trouve pour présenter sa compagne (ou son compagnon), on le fera avec politesse. Même à 60 ans, un homme peut parler de sa bien-aimée comme de sa «petite amie», et vice-versa, en mentionnant son nom au complet, avec respect.

Attention à la discrétion ! Si une dame présente Henri tout simplement en disant Henri, il ne faudrait pas demander : « Est-ce vous dont on a tant entendu parler ? » Il se pourrait que non !

Surtout, il ne faut pas être extrémiste dans le «politiquement correct» qui interdit tout sexisme. Si on présente sa femme comme sa partenaire, l'interlocuteur se demandera avec raison s'il s'agit d'une personne avec qui on fait des affaires ou avec qui on fait l'amour !

Se présenter soi-même

Je suis celui qui accompagne
Jacqueline Kennedy
à Paris.
J.F. KENNEDY

A h ! le charme ! C'est ici qu'il ne faut pas en manquer. Car il s'agit bien de présenter la personne qu'on aime le plus au monde, pas toujours le mieux cependant, c'est-à-dire soi-même. C'est dans cette situation que le tact intervient, qui vient calmer le feu d'artifice qu'on est en train de lancer, bien à son insu...

La vie est cruelle ! On n'a que quatre misérables petites secondes pour laisser une impression impérissable de sa valeureuse personne. C'est la seule occasion où vite et bien s'accordent.

Comme dans toutes les bonnes recettes, ce qui importe, c'est la qualité du produit et le dosage des ingrédients. Ne pas oublier le zeste de panache ! Suivez donc le guide :

✿ Il est primordial de donner l'information juste et brève à son sujet, et cette information doit être enrobée de charme et de séduction, qui sont des ingrédients importants dans le succès socioprofessionnel. Un exemple irrésistible : «Je m'appelle Henri Fournier et j'aide mes clients à avoir une meilleure vision du monde. Je suis opticien.»

🌩 **Oublier les formules usées et ridicules totalement dépourvues d'imagination parce qu'elles sont reprises par toute une profession : «Je suis comptable agréable.»**

Ne pas s'éterniser en décrivant la nature du poste qu'on occupe.

Dans la vie professionnelle, il est superflu de réciter son curriculum vitæ, de donner son âge et de dire où se trouve sa résidence.

☼ Quel que soit le contexte, en se présentant, on offre sa main à serrer et, selon le cas, on dira : «Bonjour, madame.» – «Bonsoir, monsieur.»

En cas d'hésitation, on dira «Madame» à une jeune femme et à une dame célibataire.

Dans les relations commerciales, il est de bon ton de dire «Bonjour, monsieur Dubois», qui est une preuve qu'on se souvient de lui.

🌩 **À tout prix, ne plus dire : «Enchanté!» qui est obsolète ni «Ça me fait plaisir», qui n'est pas toujours sincère et qui est une traduction banale de «*pleased to meet you*». Ne pas prononcer le «Allô» qui est utilisé comme formule d'appel au téléphone uniquement.**

Quelle que soit la situation, ne pas lancer à la volée : «Bonjour, m'sieurs-dames.»

La poignée de main

Une poignée de mains pleine d'intentions, qui n'a rien de commun avec les poignées de mains banales.
MONTHERLANT

Une poignée de main sert à établir le contact quand on est présenté à une personne, quand on la quitte, quand on la félicite, quand on lui offre des condoléances et quand on réussit l'entente d'une négociation. Puisqu'elle est éloquente, voici quelques interprétations de la poignée de main.

La main broyeuse

Celle qui fait monter les larmes aux yeux, qui provoque une grimace de douleur et qui fait tomber quelqu'un sur ses genoux. C'est celle de King Kong.

La main molle

Elle est dépourvue d'ardeur, d'assurance, de joie de vivre, de détermination, de chaleur et de courage. Ce n'est pas la main d'un héros potentiel ni d'un entrepreneur.

La main hésitante

C'est la main qui manque sa chance. Elle n'est jamais prête à faire une rencontre ou à se lier de quelque façon. C'est celle qui ne rencontre pas l'autre main et qui laisse les deux dans le vide.

La main maudite (pas la maudite main)

Elle est affreuse. Elle insulte et humilie. C'est celle qui refuse votre main et qui la laisse en suspens dans l'air. Profitez-en pour saluer de la main quelqu'un de fictif au loin ou vous gratter l'avant-bras.

La main précieuse

C'est celle d'une femme qui s'attend à ce qu'on la lui baise (la main).

La main insolente

C'est la main dont le propriétaire évite votre regard et scrute la salle à la recherche d'encore plus intéressant que vous.

La main obstinée

On la garde longuement en la secouant de haut en bas, de droite à gauche sans se soucier de la rendre à son propriétaire. En principe, cette main-là appartient à une personne non scrupuleuse des heures de travail supplémentaires qu'elle exige de son personnel.

La main-remorque

Cette main ne lâche pas prise et vous entraîne, ainsi ligoté, à travers toute la foire sans la laisser.

La main qui nage

Il est rare qu'on l'apprécie. Elle est chaude et suante et indispose. En pharmacie, on trouve des produits antisudoraux pour les mains.

Quant à celle qui est humide et glacée, c'est qu'elle tient un verre plein de glaçons dans la mauvaise main. Déménagez-le dans la main gauche, pardi !

La main gaillarde

C'est celle qui essaie de vous désarticuler l'épaule.

La main nounours

Dans un serrement de main classique, on tapote affectueusement l'épaule de son vis-à-vis et, dans un élan affectueux, on tente de rapprocher les deux corps l'un contre l'autre. Il se peut que la personne ainsi prise en charge se raidisse. Il faut comprendre qu'on ne doit pas tenter d'être intime en affaires.

☼ La poignée de main est une expression corporelle très éloquente et qui laisse souvent une impression durable. Dans la vie professionnelle, c'est le seul contact physique qui soit permis.

⚡ **On ne remplace pas la poignée de main par le baiser, qu'on distribue trop généreusement.**

☼ Les caractéristiques d'une bonne poignée de main sont les suivantes :

Toujours être debout. C'est indispensable.

Maintenir le contact avec les yeux.

Offrir une main ouverte, le pouce en l'air.

Établir le contact avec la main offerte avec fermeté et dans son entièreté.

Tenir le coude près du corps et plié dans un angle de 90 degrés.

La rendre à son propriétaire après quelques secondes.

On se serre la main comme préambule et épilogue à tout entretien.

Un gaucher offre sa main droite à serrer.

La bonne façon

La mauvaise façon

🌂 La main ne sera ni mouillée, ni glacée, ni crispée, ni constipée, ni molle.

On n'offre pas que le bout des doigts à serrer. (Brrr)

Même si nos intentions sont musclées, on s'abstient de démolir les phalanges baguées de la main offerte.

On ne la tient pas tout au long de l'entretien.

On n'offre pas une main gantée à serrer.

On ne serre pas la main du personnel de restaurant, sauf celle du chef lorsqu'on le félicite en quittant le restaurant.

Les formules de politesse

À quoi nous servirait la chance d'être nés humains si nous n'avions pas les moyens de vivre comme des êtres humains.

IHARA

*L*e cousin du mot «étiquette» est le «savoir-vivre», qui élève au rang de surdoué du civisme : la femme et l'homme du monde. Il englobe le tact, la politesse, les bonnes manières, la bienséance et, malgré toute cette bienveillante terminologie, il reste un mal-aimé. Il provoque chez certains rebelles de notre époque la colère, le sarcasme et l'hostilité.

Les Français ont la conviction qu'ils sont les garants du savoir-vivre, et un jour, pour en avoir le cœur net, j'en ai demandé la raison à trois d'entre eux.

Le premier, qui était le plus jeune, s'est expliqué ainsi : «Permettez-moi, s'il vous plaît, d'appuyer mes dires sur une illustration. Imaginons qu'un homme rentre de son travail et trouve sa femme dans les bras d'un autre homme. Si le mari se tait, tourne les talons discrètement, ferme la porte doucement et s'en va, c'est du savoir-vivre français.»

Le second, légèrement plus âgé, a tenté de corriger le tir du premier en disant : «Ce que vous venez d'expliquer est presque parfait et, pourtant, il y manque un élément important. Pour reprendre votre exemple, le mari rentre à la maison, trouve sa femme dans les bras d'un autre homme et dit : "Excusez-moi. Je vous en prie, continuez!" Il tourne ensuite les talons toujours discrètement, ferme la porte doucement et s'en va. On peut dire que c'est du vrai savoir-vivre français.»

Le troisième, nettement plus âgé et plus sage, a hoché la tête et a déclaré : «Messieurs, vous avez presque raison, mais un élément de taille manque encore. Dans votre exemple, si l'homme rentre chez lui, trouve sa femme dans les bras d'un autre homme et s'écrie : "Oh! Excusez-moi! Je vous prie de continuer?", tourne les talons, sort doucement, et si l'amant remercie et peut réellement continuer, ça, c'est vraiment du savoir-vivre français.»

☼ «Merci», «s'il vous plaît», «excusez-moi», «je vous en prie», «au revoir» sont des mots courtois essentiels et profitables, qui facilitent les relations de toute nature.

Malheureusement, on les entend de moins en moins sur le continent nord-américain. On passe facilement pour excentrique si on les utilise.

☂ **Ne pas éprouver de la gêne devant la courtoisie.**

Ne pas demander s'il est obséquieux de dire merci! N'est-ce pas cette question qui est excentrique? Aujourd'hui, il semble qu'on n'est redevable de rien. Tout nous est dû!

☼ En demandant un service, en posant une question, en réclamant son dû, on ajoute «s'il vous plaît», qui n'est pas superflu. Par exemple, quand on s'adresse à un inconnu : «S'il vous plaît, monsieur, puis-je vous demander l'heure?»

☂ **Si, dans un aéroport, on s'enquiert de l'heure à un passant, on ne dira pas : «As-tu l'heure?», car on pourrait entendre sur le même mode : «Oui, je l'ai et je la garde!»**

☼ Après avoir remercié, on entendra «je vous en prie». En poussant l'élégance, on pourrait ajouter «c'est la moindre des choses!».

☁ «Bienvenue» après «merci» n'est que la plate traduction du «*welcome*» américain. Répondre à un remerciement par OK est si médiocre qu'on peut s'en passer.

Si, après avoir été sauvé d'un incendie, le rescapé dit merci – et on est en droit de l'espérer –, le bon Samaritain s'abstiendra de répondre «de rien» ou, pire encore, «à votre service». Le «faites seulement» à la suisse rend tous les non-Suisses perplexes.

☼ Quand on bouscule quelqu'un, qu'on lui marche sur les pieds, qu'on entre dans une rangée à une conférence en contraignant plusieurs personnes à «se rétrécir», on s'excuse ou on demande pardon. Les formules élégantes adéquates sont : «excusez-moi», «veuillez m'excuser» et, dans la correspondance : «Je vous prie de bien vouloir m'excuser.»

☁ En éternuant sur quelqu'un, on ne dit pas : «Je m'excuse», qui est impératif. On n'impose rien à une personne qu'on a lésée. On propose !

☼ «Au revoir !» est la formule pertinente quand on quitte quelqu'un. Y accoler «madame la présidente» ou «monsieur le directeur» n'est pas superflu.

☁ Il vaut mieux dire «adieu» à son tortionnaire. Ne jamais dire «au revoir» au huissier. Pourtant, il est judicieux de dire à l'indélicat qui vous a floué : «Au plaisir de ne plus vous revoir.»

L'image

L'image est le plus grand capital d'une personne.
TALLEYRAND

D ans le monde actuel comme dans celui de Confucius, il faut soigner l'extérieur et l'intérieur. Une peau de tigre ne se distingue pas d'une peau de chien si le poil en est raclé. L'opinion qu'on se fait d'une personne ne prend que quelques secondes. Autant qu'elle soit bonne puisque la première impression, dans le milieu rapide des affaires, est durable.

L'image est beaucoup moins apparentée à la beauté qu'à l'expression de professionnalisme, à l'attitude et au comportement ; elle détermine la perception des autres vis-à-vis de soi et établit un certain degré de crédibilité. L'image, c'est ce quelque chose qui met en valeur l'expertise, le style, la confiance en soi, le charisme et le leadership.

Oui ! L'habit fait le moine, et l'élégance n'est pas quelque chose que l'on endosse pour une soirée. C'est une vertu de tous les jours, applicable toute la journée et qui commence par une attitude positive et s'exprime à travers sa garde-robe. Chanel disait : « Le luxe doit être confortable, sinon il n'existe pas. » Pour moi, l'élégance est un compromis entre la confiance que procure un joli vêtement, le plaisir de le posséder et l'aptitude à le porter.

La véritable élégance ne se remarque pas ! La vraie simplicité, c'est la perfection.

En affaires, les vêtements de grand luxe sont tapageurs, et il serait mal vu de se présenter à un rendez-vous en vison, ce qui me rappelle ce graffiti sur un mur de Londres : «Comment font les jeunes filles pour avoir des visons? Exactement la même chose que font les visons pour avoir des visons.»

L'APPARENCE

✿ Être propre avant de se maquiller.

Se doucher avant de s'habiller.

Faire usage de désodorisant après la douche.

Avoir une haleine toujours fraîche.

Une femme doit user discrètement de maquillage, qui a pour effet secondaire d'agir comme antidépresseur.

Les ongles sont soignés; leur longueur est raisonnable.

Une femme peut porter n'importe quel vernis à la condition qu'il lui aille.

L'homme élégant porte ses ongles courts et manucurés.

L'homme soigné veille à dépouiller ses oreilles de leurs buissons ardents.

Laver ses mains après la visite aux toilettes est une hygiène élémentaire, qui se pratique aussi avant de passer à table.

⚡ **Ne pas remplacer le désodorisant par du parfum.**

Éviter de remettre les sous-vêtements de la veille ou de l'avant-veille et qui sentent la transpiration.

Ne pas infliger une haleine aillée à son environnement.

Ne pas mâcher de la gomme pour masquer la mauvaise haleine (mieux vaut faire fondre une pastille de menthe).

Les ongles d'une femme n'atteignent pas la longueur des serres du condor.

Le vernis à ongles n'est pas écaillé.

Les vêtements et accessoires

☼ Savoir choisir les vêtements correspondant à sa situation, à son âge et à sa personnalité.

Connaître parfaitement la forme de son corps et ses contours.

Adapter ses vêtements à sa morphologie.

Se sentir à l'aise (mais pas trop) dans ses vêtements.

La véritable élégance ne se remarque pas !

Faire la différence entre tenue de travail et tenue de réception.

Tout vêtement doit être impeccablement propre et repassé.

Si l'entreprise dans laquelle on travaille permet l'habillement décontracté le vendredi, que ce ne soit pas débraillé ! Et se le permettre surtout quand on a l'assurance qu'on ne rencontrera pas de clients ce jour-là. Pourquoi les clients et les visiteurs du vendredi auraient-ils droit à moins d'égards que ceux du mardi ?

⚡ **Le vêtement neutre n'existe pas. Tout vêtement est un message éloquent de sa personnalité (faire en sorte qu'il soit en sa faveur).**

Ne pas avoir l'air « endimanché ».

Éviter les couleurs « bruyantes ».

Ne pas afficher ses rondeurs en portant des tissus à rayures larges horizontales, à grosses impressions, de couleur pâle ou de couleur violente, ni les étoffes moulantes.

Ne pas confondre le bureau et le terrain de sport.

Les bretelles du soutien-gorge ne dépassent pas.

On ne devine pas les marques de la culotte sous le vêtement.

Le pantalon (femme/homme) n'est pas trop moulant.

Il n'y a pas de boutons manquants au vêtement.

La propreté du col n'est pas douteuse.

L'ourlet de la jupe ou du pantalon n'est pas défait.

Les bas ne sont pas filés.

Le tissu n'est pas phosphorescent.

LE CODE VESTIMENTAIRE POUR LA FEMME

☼ Le tailleur-jupe ou le tailleur-pantalon est ce que les couturiers ont fait de mieux pour habiller la femme élégante.

La robe classique tombant aux genoux ou à la cheville, selon les impératifs de la mode et de l'air du temps, sied parfaitement à la femme d'action.

Le chandail ou le tee-shirt sont de bonne qualité et choisis en coordination avec le tailleur, la jupe ou le pantalon.

Les accessoires retiennent toute l'attention, car ils donnent du relief à l'ensemble. Choisir une ceinture et un sac à main qui tendent vers le haut de gamme.

Une femme de forte stature préfère la jupe droite, la veste longue, le manteau ample ou droit, le tee-shirt ample, les teintes foncées et les fines rayures verticales.

La femme de petite taille choisit des tissus à petits motifs discrets. Savoir doser confort et fantaisie.

Préférer la sobriété à l'excentricité.

⚡ **Une femme soucieuse de son élégance ne se présente pas au travail en collant, en jeans, troué ou pas, en bermuda ou en short.**

Le pantalon ne sied pas à une femme qui a une culotte de cheval.

Une femme professionnelle n'offre pas le panorama d'un décolleté profond et elle ne découvre son ombilic que dans sa vie privée, c'est-à-dire à ceux qui croient qu'elle est le nombril du monde.

Elle ne se présente pas non plus en robe ou chemisier de satin, de brocart ou de tissu lamé.

Les couleurs des vêtements ne sont pas trop exubérantes.

☼ Ses chaussures sont de bonne qualité et surtout d'un grand confort.

Les talons sont plats ou légèrement hauts.

Elles sont toujours bien cirées.

⚡ **Éviter les sandales de camping et les chaussures de sport.**

Les escarpins et les sandales à talons très hauts ne s'entendent pas avec les principes ergonomiques dictés par les spécialistes.

Les chaussures de couleur brillante et à strass n'ont pas leur place au bureau.

En sandales, veiller à ne pas avoir de caviar entre les orteils ou sous les ongles.

☼ Une femme bien mise porte toujours des bas au travail.

⛆ Au travail, une femme ne se présente pas en bas résille ou de style french cancan ni à motifs voyants ou trop fantaisistes.

☼ Les femmes font un usage discret de leurs bijoux.

⛆ Leurs bijoux ne sont pas tapageurs, ni encombrants, ni volumineux, ni nombreux.

Elles ne portent pas de bagues à tous les doigts.

À part aux oreilles, les femmes ne portent pas des tas d'anneaux autour des yeux, dans le nez ou ailleurs sur le visage. S'ils sont amusants, ces ornements ne conviennent pas toujours à l'emploi qu'on occupe.

Le tatouage, même charmant, n'est pas recommandé.

LE CODE VESTIMENTAIRE POUR L'HOMME

☼ Le cadre élégant s'habille de costumes classiques bien coupés.

Il peut préférer le blazer ou la veste plus décontractée.

Il choisit de beaux tissus de laine, de flanelle, de gabardine, de lin, de pur coton ou de fils croisés.

Il préfère des tons sobres et des textiles à motifs discrets.

Il aime les tweeds chauds, les rayures fines et distinguées, les chevrons, le prince de galles.

S'il est hésitant, il a recours à des stylistes ou à des personnes dont il admire l'allure.

Il aime les chemises à fines rayures et les tee-shirts amples.

S'il opte pour la chemise polo à manches longues, il la porte sans cravate mais avec veste.

Son pantalon est toujours bien pressé.

Sa cravate est de la meilleure qualité, s'accorde avec l'ensemble du costume-pantalon-chemise et reste classique, ce qui ne veut pas dire ennuyeux.

La cravate est assez longue pour atteindre la ceinture.

Il adapte le choix de ses vêtements aux saisons.

☂ **L'homme soucieux de laisser une bonne impression ne se présente pas en camisole, en bermuda, en jeans troué ou effiloché.**

Les tissus synthétiques n'ont pas la même souplesse ni le même chic que les fibres naturelles.

L'homme qui se veut élégant ne porte pas un costume de grand couturier si ce costume ne lui va pas.

Un cadre évite les complets aux tons pastel, à larges motifs et très ajustés et le pantalon moulant.

Il n'adopte pas sans discernement ce qu'il voit dans les revues de mode.

Sa chemise n'est pas à jabot ni à falbalas ni de couleur vibrante et, si elle est entrouverte, elle ne découvre pas la fourrure embroussaillée de sa poitrine.

La lavallière n'est pas de mise au bureau.

Un homme qui prévoit se rendre à une réception à 17 heures ne s'habille pas de brun, qui est considéré comme une couleur sportive.

Au bureau, un homme évite les agencements trop recherchés (cravate, pochette, chaussettes assorties).

Il ne se présente pas dans des accoutrements folkloriques ou en tenue de cow-boy.

☼ Le cadre accorde beaucoup d'importance au choix de ses chaussures, qui sont en cuir de bonne qualité.

Elles sont élégantes et confortables et vont bien avec les vêtements.

Elles sont impeccablement cirées.

☔ **Il ne se présente pas au bureau en chaussures de tennis ou de sport.**

La sandale n'est pas portée par un homme au bureau.

☼ Il doit à tout prix investir dans les chaussettes longues (au genou).

Il les choisit avec ou sans motifs mais de couleur sobre : les gris, noir, marine, brun, beige, kaki, bourgogne, vert très foncé.

Si c'est nécessaire, un homme change ses chaussettes deux fois par jour.

☔ **Un homme distingué ne porte jamais de chaussettes blanches ni fluorescentes ni à motifs hawaïens.**

Il ne porte pas de chaussettes courtes dont l'élastique fatigué les fait tomber sur la chaussure.

L'homme chic porte un minimum de bijoux, ce qui se limite à son alliance, à la bague de son collège ou à la chevalière de famille, aux boutons de manchette discrets et à sa montre.

L'épingle à cravate est superflue.

La gourmette est souvent encombrante.

Les boucles d'oreilles sont exclues.

Les bijoux dans la peau et les tatouages visibles ne sont pas appréciés.

LE MAINTIEN DE LA FEMME CADRE

☼ Une femme debout a presque toutes les libertés.

Elle peut porter ou non la veste de son tailleur.

Elle peut tenir une main (pas les deux) dans la poche de son pantalon.

Elle peut garder ses mains près de son corps, devant elle ou derrière son dos.

Elle se tient bien d'aplomb, le buste en avant (sans exagérer), les épaules et le dos bien droits.

☂ **Elle ne croise pas les bras sur sa poitrine.**

Son dos n'est pas voûté (sauf par l'âge) par manque de maintien.

✿ Qu'elle soit en jupe ou en pantalon, une femme assise a un choix limité de postures, car ses jambes et ses chevilles sont ensemble ou croisées, et il n'y a pas d'alternatives.

☂ **Une femme digne, même en pantalon, ne s'assoit jamais les jambes et les genoux écartés comme dans le film *Basic Instinct*.**

Elle n'appuie pas les bras sur ses cuisses.

Elle ne se voûte pas et son corps n'occupe pas tout l'espace de son bureau.

LE MAINTIEN DE L'HOMME CADRE

✿ Un homme debout qui a de la prestance se tient bien droit et garde toujours sa veste boutonnée : à trois boutons, les deux supérieurs ; à deux boutons, celui du haut ; à quatre boutons (veste croisée), les trois du haut.

Il se tient les mains dans le dos.

☂ **Il n'est pas en bras de chemise.**

Il ne garde pas sa veste déboutonnée.

Il ne tient pas les mains dans ses poches en faisant sonner son argent ou ses clés de voiture ou en rectifiant la position de sa feuille de vigne.

✿ Un homme assis est un être humain détendu, donc il ouvre sa veste.

Il peut enlever sa veste s'il n'est pas en présence d'un supérieur ou d'un client ou d'un sous-traitant et seulement si sa chemise a des manches longues.

Il adopte une attitude décontractée en tenant ses jambes écartées, son corps penché en avant, les avant-bras appuyés sur les genoux (attitude du médecin près de son patient).

Lorsqu'il est appuyé à son dossier, il peut même aller jusqu'à plier une jambe et poser le pied de celle-ci sur la cuisse opposée.

☔ **Un homme ne s'assoit pas tout avachi.**

Il n'envahit pas son bureau de tout son corps.

Il ne pose jamais les pieds sur son bureau.

Il ne tient pas son dos voûté à la façon des usagers de l'ordinateur.

LA COIFFURE

☼ Adaptée à la personnalité et à la situation.

Longueur optionnelle pour les deux genres ou selon les politiques de l'entreprise.

Cheveux toujours propres, soignés et bien brossés.

Le postiche ? Oui, à la condition qu'il soit d'excellente qualité et surtout qu'il soit adapté à la personne.

☔ **Attention aux pellicules.**

Ne pas adopter n'importe quelle coiffure-tendance qui donne l'air d'un porc-épic ou d'avoir été coiffée par un mixeur.

Éviter les couleurs fluo ; faire la différence entre *business, show business* et *punk*.

Les coiffures très folkloriques peuvent prêter à confusion.

Le crâne volontairement rasé ? Oui ! Pour un chef de cuisine.

LE PARFUM

☼ La femme chic préfère une eau de toilette distinguée au parfum tenace et agressant.

Elle le vaporise sur un corps propre après la douche, avec modération.

Un homme élégant atomise son eau de toilette sur sa poitrine.

Si le vêtement est de fibre naturelle, vaporiser un nuage sur l'ourlet de la jupe.

☂ **Ne pas utiliser d'extrait ou de concentré de parfum.**

Ne pas se parfumer si on consomme de l'ail, de l'oignon, de la vitamine B et certains médicaments à odeur forte. Ce mélange sent le suranné.

Éviter de parfumer les cheveux, le visage, la nuque et ne pas frictionner la peau d'eau de toilette fraîchement vaporisée ; elle s'altère.

Ne pas vider la fiole d'un seul trait.

Ne pas utiliser sur des perles ou des tissus synthétiques.

Ne pas se parfumer avant de passer à table. C'est un affront que d'imposer différentes odeurs agressives à une table où l'on se trouve pour apprécier l'arôme délicat des aliments et le bouquet des vins.

LES BRUITS

☼ La toux est tolérée avant qu'elle ne dégénère en quinte.

L'éternuement est atténué à l'aide du mouchoir.

Les gargouillements d'estomac sont les expressions d'un estomac en manque.

Quant aux autres plaintes du ventre, il est de bon ton de les réprimer.

Le bâillement se fait sans bruit avec la bouche couverte de la main.

☂ **Le hoquet est difficile à supporter en public et autorise à s'excuser et à quitter les lieux (le rompre en buvant de l'eau sans respirer).**

Le rot n'est pas permis en Occident.

Ne pas se moucher dans la serviette de table, même en papier, à table. Examiner sa production ensuite (il est rare d'y trouver une perle) tient de la véritable goujaterie.

Ne pas éternuer sur les autres et ne pas dire « À vos souhaits » à la personne qui éternue.

Le pet, franc ou sournois, n'est admis nulle part dans les sociétés dites civilisées.

Le langage corporel

Les gestes de l'orateur sont des métaphores.
VALÉRY

D epuis la Seconde Guerre mondiale, le V formé de l'index et du majeur est le signe de la victoire partout dans le monde, à la condition que la paume de la main soit tournée en dehors. Même Sir Winston Churchill était extrêmement prudent lorsqu'il formait le V de ses doigts, car au Royaume-Uni, si ce geste est fait avec la paume tournée vers soi, il équivaut au majeur érigé en l'air, qui est très vulgaire.

Combien de personnes auraient intérêt à s'informer de la signification de leurs gestes impulsifs à l'étranger. Par exemple, en concluant un marché, tenter de montrer sa satisfaction en formant un zéro avec le pouce et l'index peut être mal vu. Au Brésil et en Afrique du Sud, il est certain qu'on révisera sa position si on vous voit faire ce geste car, chez eux, il est obscène.

Les gestes, les attitudes, la contenance et l'allure trahissent qui l'on est. La gestuelle est certainement le moyen le plus vrai pour déterminer l'authenticité d'une personne. La fixation du regard, le tremblement des membres ou de la voix, la transpiration sont des symptômes de ses émotions, et il est difficile de tricher par ce moyen de communication puisqu'il nous vient de notre première éducation. Toutefois, il est possible de le contrôler.

POUR SÉDUIRE OU CONVAINCRE

✪ On tend une main ouverte vers son public ou son interlocuteur.

On serre le poing pour affirmer son assurance.

On forme un cercle avec le pouce et l'index (sauf au Brésil, en Grèce, en Afrique du Sud et en ex-URSS) pour préciser un point.

On fend l'air de la main pour imposer son autorité.

On tourne les paumes vers le ciel pour exprimer son innocence.

On ramène les paumes l'une contre l'autre pour inciter à la réconciliation et au rassemblement.

LES ATTITUDES QUI EXPRIMENT LA DÉFENSIVE OU MARQUENT LE DÉSACCORD

⛈ **Croiser les jambes, les bras et les doigts.**

Presser ses mains contre ses jambes ou ses cuisses.

Croiser ses chevilles sous sa chaise.

Entourer les pieds de la chaise avec ses chevilles.

Se gratter sous le col.

Rabattre nerveusement une mèche de cheveux.

Se fouiller dans les oreilles.

Tripoter son nez.

Ajuster ses bagues.

Faire sonner son argent ou ses clés avec sa main dans sa poche.

LES GESTES POUR APPELER À LA CONNIVENCE

✪ Le clin d'œil :
qui invite à la complicité ;

qui est un signe qu'on se reconnaît dans la foule ;
qui prévient, dans un discours, que ses propos sont de nature espiègle.

Le sourire :
qui exprime le plaisir, le bonheur, l'entendement, la complicité ;
qui est fin et subtil ;
qui est charmant et amical ;
qui est indulgent, aimable, courtois et gracieux ;
qui est le plus agréable moyen de communication.

LES GESTES SYMBOLIQUES À RÉPRIMER

Visser son index sur sa tempe pour signifier que l'autre est idiot.

Gesticuler de tout son corps en signe d'admiration pour séduire l'interlocuteur.

Faire un clin d'œil qui prête à plusieurs interprétations :
qui apparaît, s'il est perçu par un tiers, comme une forme d'ironie ;
qui est un signe de connivence ou d'invitation à caractère sexuel et est de la plus vile impudence.

Le sourire peut exprimer l'invite de nature romantique, le sarcasme, l'ironie, l'arrogance, le mépris et, dans ces cas, peut se montrer redoutable et même meurtrier.

Faire jaillir le majeur (doigt) est le comble de la vulgarité.

L'étiquette au bureau

La vraie politesse n'est que la confiance
et l'espérance dans les hommes.
H.D. THOREAU

Dans une société civilisée, les lois et les règles sont indispensables pour aider les gens à vivre dans un milieu équilibré et sain. Si chaque personne qui s'engage dans une carrière apprenait les principes du savoir-vivre social et professionnel, sans renoncer à son identité culturelle, une plus douce harmonie augmenterait la qualité de vie à laquelle nous aspirons. Respecter la liberté des autres n'est pas seulement une question de morale démocratique mais aussi une question de savoir-vivre qui calme les violences, filtre l'agressivité, prévient les humiliations et les malentendus.

Si on se montre aimable et courtois dans l'arène internationale, on apparaît comme un citoyen du monde et, de ce fait, on attire ceux qui seraient tentés de vouloir faire des affaires.

La courtoisie est un excellent générateur de travail volontaire, le meilleur lien entre les collègues, le plus agréable stimulant pour l'esprit d'équipe et le plus sûr garant de la satisfaction de la clientèle.

LES COLLÈGUES

✿ Établir une relation agréable et respectueuse.

Chaque membre du personnel est un échelon important dans la réussite de l'entreprise.

Déterminer les politiques du bureau quant à la manière de s'adresser aux collègues, aux supérieurs hiérarchiques, au patron : Jos ou monsieur Pelletier.

En arrivant au bureau, dire un «bonjour» amical et cordial avec le sourire indispensable.

Être prêt au travail d'équipe.

Se réjouir de la promotion des autres.

⚡ **Ne pas ignorer ses collègues.**

Ne pas refuser de rendre service.

Ne pas demander à la secrétaire d'une autre personne d'accomplir ses tâches.

Ne pas exiger plus des autres que de soi-même.

Attention aux surnoms ou sobriquets pour désigner un collègue : «le gars de l'ascenseur», «le rouquin de la comptabilité», «la fille aux grosses boules», etc.

LES SUPÉRIEURS HIÉRARCHIQUES

✿ Ils donnent l'exemple et connaissent les règles du bon fonctionnement de l'entreprise et les bonnes manières sociales et professionnelles.

Ils établissent les termes de courtoisie : monsieur, madame ou Robert, Andrée.

Les relations professionnelles sont toujours basées sur le rang, et la hiérarchie est scrupuleusement observée.

⚡ **Un supérieur n'adopte pas une attitude condescendante envers son personnel.**

Il n'emploie pas de termes réducteurs à l'égard de qui que ce soit.

Même si le patron a invité sa secrétaire ou un membre du personnel à déjeuner ou à une partie de golf, il est impensable de la part de ces derniers de prendre une attitude qui trahisse une relation familière ou intime avec lui (ou elle).

Les membres du personnel s'abstiennent de critiquer le patron et l'entreprise devant les clients et les collègues.

LE CLIENT

☼ Il est la personne la plus importante de l'entreprise.

Il est accueilli dès son arrivée avec sourire et poignée de main.

Si, par extraordinaire, on doit le faire patienter (jamais au-delà de 10 minutes), mettre à sa disposition la présence courtoise d'un membre du personnel, le téléphone, des journaux, un rafraîchissement.

Il doit être escorté au bureau de la personne avec qui il a rendez-vous. L'hôte qui le reçoit dans son bureau quitte son fauteuil et accueille le client à la porte avec une poignée de main et lui désigne un siège.

Ne jamais faire attendre un client qui a la courtoisie d'être à l'heure.

Ne pas se préoccuper de son confort et le forcer à scruter l'horizon fort limité de la salle de réception.

Le client ne doit pas être obligé de trouver seul l'ascenseur de l'immeuble.

LE VISITEUR

☼ En arrivant à l'accueil, décliner son identité et offrir sa carte de visite à la réceptionniste.

S'enquérir du vestiaire pour pendre son manteau et y laisser son parapluie. En principe, il est du ressort de la réceptionniste de le signaler.

Une fois dans le bureau, attendre qu'on nous indique un siège, surtout s'il y en a plusieurs.

Déposer son porte-documents ou son sac à main par terre près de son fauteuil.

Quand on est dans le bureau de quelqu'un, assumer que c'est pour traiter des affaires dans l'intérêt de l'entreprise.

Quitter le bureau dès la fin de l'entretien.

Adresser une note de remerciement écrite à la main sur du papier professionnel le lendemain de la rencontre. Format idéal : carton bristol personnalisé.

Ne pas être en retard au rendez-vous. Autrement, s'excuser.

Si l'hôte reste assis derrière son bureau, le visiteur ne reste pas debout.

Ne pas étaler papiers et documents sur le bureau ou sur le plancher avant d'être invité à le faire.

Ne pas tripoter les objets se trouvant sur le bureau.

S'abstenir de fumer.

Un hôte ne reste pas derrière son bureau pour accueillir un visiteur à moins d'avoir l'intention de le congédier...

LA POLITESSE DANS L'ASCENSEUR

C'est la personne la plus près de l'ascenseur qui entre la première et attend que tous les autres soient entrés pour presser le bouton d'étage.

Si l'ascenseur est bondé, c'est la personne près du tableau de contrôle qui offre aux autres de presser le bouton désiré.

Quand l'ascenseur s'arrête et que les portes s'ouvrent, sortir pour libérer les personnes derrière soi qui sont arrivées à destination. Rentrer.

S'il y a foule, les hommes gardent leur chapeau sur la tête.

Ne pas bloquer l'entrée de l'ascenseur parce qu'on prévoit sortir le premier.

Ne pas se faufiler sous les gens pour entrer ou sortir.

Ne pas entraver le mécanisme des portes avec les mains.

Ne pas siffler ou fredonner des airs.

S'il y a conversation, ne pas parler trop fort ni de sujets confidentiels ou intimes.

Ne pas fumer.

LE SAVOIR-VIVRE DANS LES ÎLOTS DE TRAVAIL

☼ Être conscient qu'on est exposé aux yeux et aux oreilles de tout le monde.

Respecter le territoire visuel, auditif et olfactif de chacun de ses occupants.

Les communications au téléphone sont faites à voix raisonnablement basse et sont de nature uniquement professionnelle.

Comme pour un bureau fermé, on s'annonce avant d'y entrer.

Si on est victime d'une quinte de toux, s'isoler aux toilettes.

Se parfumer très discrètement.

Éternuer dans un mouchoir pour empêcher les bactéries de se propager dans les autres îlots.

Apprendre que le silence est une marque de considération et de respect.

Ne pas se permettre un langage corporel qu'on n'aurait pas avec un vis-à-vis.

Ne pas entrer dans l'îlot d'un collègue comme dans un moulin.

Ne pas mener de conversations à cachet très personnel au téléphone : traiter de son compte à découvert avec sa banque, parler de ses hémorroïdes à son pharmacien, avoir des apartés très intimes et à caractère sexuel avec son amoureux ou son amoureuse.

Ne pas ronger des carottes ou croquer du céleri ou grignoter du concombre ; c'est affreusement bruyant.

Ne pas imposer aux autres une forte haleine à l'ail ni une eau de toilette tenace et abondante qui ne convient pas à tout le monde.

Le comptoir administratif

L'administration a pour but de rendre la vie commode
et les hommes heureux...
... AURAIT DIT UN BOSSUET PEU PRÉVOYANT DE CE QUE LES XXᴱ
ET XXIᴱ SIÈCLES ALLAIENT NOUS RÉSERVER.

C hez nous, on a tendance à penser qu'ordre et égalité équivalent à raser tout ce qui dépasse, et on se bat pour savoir qui éliminera ce qui est tombé.

Le journaliste révolutionnaire Henri Béraud pensait : « C'est dans l'administration qu'on voit le mieux ce qu'il en coûte de faire envie à ceux qui font pitié. » C'est dur !

L'ordre est utile ; il devrait servir plus les administrés que les administrateurs.

✿ L'ordre, c'est plus ou moins la définition du civisme ; s'y conformer.

Quand on fait la queue, on attend son tour et on prend sa place derrière la dernière personne dans la file.

Son tour venu, on s'adresse aux préposés avec des manières aimables.

Suivre les instructions données pour constituer un dossier : préparer les documents pertinents, remplir les formulaires adéquats et rédiger comme requis les réclamations.

Ne pas chercher à passer avant tout le monde par des moyens détournés.

Ne pas fumer pendant l'attente.

Ne pas prononcer de commentaires désagréables à l'égard de ceux qui font tourner les rouages de l'administration.

Ne pas exprimer sa colère aux préposés.

De leur côté, les préposés à l'administration font preuve de bonne volonté pour servir les administrés.

Les fonctionnaires gardent toujours leur sang-froid, ils sont initiés aux codes de l'étiquette et les appliquent.

Les préposés ne manifestent ni mépris ni arrogance.

Ils ne traitent pas les administrés de façon inégale à l'aide de faveurs.

Ils ne trahissent pas la confidentialité des dossiers.

La communication

Nous pouvons aisément communiquer
d'un continent à l'autre,
mais un homme ne sait pas encore entrer
en communication avec un autre homme.
Vaclav Havel

Sur ce continent, la plupart des personnes qui ont entre 23 et 40 ans ont touché au domaine de la communication, soit par le biais d'études universitaires, soit en formation continue, soit dans leur milieu de travail. Qu'on le veuille ou pas, tout le monde doit communiquer, quel que soit le mode utilisé. Or, comment se fait-il qu'avec tous ces outils techniques ou technologiques il y ait tant de malentendus ? J'en viens à la conclusion que c'est le mode d'expression qui souffre d'anémie pernicieuse.

Jusqu'à il y a 25 ans, les Français effleuraient à peine l'anglais à l'école et parce que leur langue était (et est encore) celle de la poste et de la diplomatie, ils se sentaient tirés d'affaire. Il est rare qu'un Américain fasse mieux qu'écorcher les salutations d'usage dans une langue étrangère. Les Allemands sont devenus au moins bilingues, les Italiens parlent les langues latines aussi avec l'aide de leurs mains, les Britanniques et les Scandinaves ont un programme linguistique sérieux à offrir aux enfants à partir de quatre ans.

Pourtant, en son temps héroïque, Charles Quint affirmait qu'il avait appris l'italien pour parler au pape, l'espagnol pour parler à sa mère, l'anglais pour parler à sa tante, l'allemand pour parler à ses amis et le français pour se parler à lui-même. Si ce n'est pas de la bonne volonté...

À l'inverse de cette anecdote archéologique, j'ai eu un jour devant moi un exceptionnel Américain qui, voulant impressionner ses hôtes japonais par sa gentillesse et surtout par sa bonne volonté, s'était mis comme un forcené à apprendre en japonais une phrase à laquelle il voulait donner plus ou moins ce sens : «Merci de tout cœur pour votre généreuse hospitalité. J'ai fait tant honneur à votre table que je me vois obligé de détacher ma ceinture.» Pendant des jours, il s'est acharné, avec l'aide de spécialistes japonais, à répéter inlassablement ces mots, mettant l'accent là où il le fallait. Le jour J enfin arrivé, après le banquet en son honneur, il s'est levé plein d'assurance et a prononcé son texte. Personne n'a ri. Personne n'a même souri. Personne n'a applaudi. On s'est retiré en se faisant de courtes révérences. Le lendemain, il a appris d'un ami nippon compatissant qu'il avait dit : «Merci pour votre grosse bouffe ; mon âne en était si satisfait que j'ai dû détacher sa monture.»

Ce quiproquo était de taille. Et si on le voulait, on pourrait éviter 85 % de nos malentendus par la courtoisie, la patience, la tolérance et la gentillesse.

LE TÉLÉPHONE

En Amérique du Nord, les gens d'affaires font 88 % de leurs affaires par téléphone et les mauvaises manières qu'on y a sont un risque inutile pour l'entreprise.

☼ Savoir créer une image de courtoisie et de style en l'espace de quatre secondes.

Avoir une voix agréable, souriante et un débit articulé en nommant l'entreprise.

Utiliser les formules d'accueil avec authenticité : «Comment allez-vous ?» – «Comment puis-je vous aider ?» – «Avec plaisir», etc.

⚡ **Ne pas s'identifier par l'opaque : « C'est moi ! »**

Après la formule d'entrée « Comment allez-vous ? », ne pas répondre par « Je suis très occupé ! »

En terminant un entretien, ne pas utiliser des phrases extravagantes telles que : « J'ai été enchanté de vous entendre ! » C'est trop !

✿ Après avoir fixé un rendez-vous téléphonique, être à son bureau au moment convenu.

Répondre à un message en rappelant à l'intérieur de 24 heures, 48 heures au maximum, même si on n'y voit aucun intérêt.

Toujours prévenir lorsqu'on met quelqu'un en attente ou en mode d'appel-conférence.

⚡ **Dans l'attente d'un rendez-vous téléphonique, ne pas être tenté de faire d'autres appels. Être prêt.**

Ne pas laisser la réceptionniste annoncer à la personne avec qui on a ce rendez-vous que notre ligne est déjà occupée. C'est insultant.

Beaucoup d'entreprises perdent des clients en négligeant de les rappeler.

En affaires, on n'appelle pas les gens à leur domicile à moins d'avoir été invité à le faire.

✿ Une réceptionniste doit avoir les qualités d'un ange : voix agréable, diction parfaite, patience illimitée, nerfs à toute épreuve, formules courtoises : « Oui, monsieur » – « Avec plaisir » – « Je vous en prie » – « Au revoir, madame » et obligatoirement vouvoyer.

Pour réussir à maintenir 8 heures par jour la même gentillesse et la même efficacité, voici un truc efficace pour une réceptionniste : avoir devant elle un miroir et tenter de projeter avec la voix la même image que celle qu'elle veut trouver dans le miroir.

Les messages sont pris en entier, lisibles et livrés aussitôt.

Pour mettre une personne en attente, la réceptionniste demande : « Puis-je vous annoncer ? » – « Puis-je lui dire qui l'appelle?» – «Elle est déjà en ligne; puis-je vous faire patienter?»

Si la ligne ne se libère pas, on demande : «Souhaitez-vous toujours patienter?»

Avec un correspondant intraitable, toujours garder son sang-froid.

Pour s'identifier, on dit : «Ici Léon Dupuis, comptabilité.»

☂ **Si un client se plaint, ne pas le traiter avec rage.**

Éviter de manger du céleri, d'avaler du café et de mâcher de la gomme au téléphone.

Ne pas terminer l'entretien par «bye bye» ou «salut!».

Pour s'identifier, on ne dit pas : «Ici, monsieur Léon Dupuis.»

Le correspondant ne prend pas ensuite la liberté de dire : «Allô! Léon.»

Ne jamais se permettre le tutoiement ni l'utilisation du prénom, qui sont trop familiers.

Personne, même avec les meilleures intentions, ne s'adresse à quelqu'un en l'appelant : «Ma p'tite madame» ou «Mon p'tit monsieur».

✿ S'il faut filtrer un appel, le faire avec tact et courtoisie. La secrétaire demande : «Puis-je annoncer qui l'appelle?»

Si l'appel est d'avance refusé, la réceptionniste précise d'entrée de jeu qu'elle regrette l'absence de son patron, par exemple, et propose de prendre le message.

Pour éviter tout filtrage et questionnaire, il est tellement plus efficace de s'identifier au complet et d'expliquer le but de l'appel : «Bonjour, madame. Ici Claude Brisson, de Bell Canada. Pourrais-je parler à monsieur Giroux, s'il vous plaît?».

☂ **Le grand péché lorsqu'on répond au téléphone est de demander sur un ton impératif : «Qui parle?» – «Qui est à l'appareil?»**

Éviter d'humilier quelqu'un qui appelle en lui refusant la personne souhaitée, après qu'on lui a demandé de décliner son identité, avec l'argument de l'absence.

Ne pas afficher la peur d'être filtré ; s'identifier avec assurance.

☼ Avant d'appeler, savoir de quoi on veut parler et entamer la conversation sans détour.

Si on compose un mauvais numéro, s'excuser et remercier.

C'est la personne qui fait l'appel qui le termine.

Si la communication est coupée, c'est la personne qui a fait l'appel qui doit recomposer le numéro.

C'est le correspondant à qui l'on parle qui a priorité sur les autres.

⚡ **Faire perdre le temps de quelqu'un est un manque de considération.**

Ne pas s'identifier par le prénom seulement.

Une trop longue mise en attente peut rendre fou.

« C'est à quel sujet ? » est trop agressant dans le filtrage.

Ne pas laisser sonner plus de trois fois avant de prendre l'appel (deux c'est mieux).

☼ Savoir terminer une trop longue conversation téléphonique avec courtoisie : «Je souhaiterais continuer cet agréable entretien, mais je réalise que je suis attendu pour le déjeuner» – «... l'heure de ma réunion a sonné» – «Peut-être pourrions-nous poursuivre une autre fois ?»

⚡ **Surtout ne pas dire : «Je dois courir à un rendez-vous plus important» – «En avez-vous encore pour longtemps, Henri ? » – «Restez en ligne, je vous reviens» et couper la communication. C'est affreux !**

☼ Dans le cas où, exceptionnellement, un important appel est attendu et qu'on se trouve dans son bureau avec un client ou à une réunion, on s'excuse avec empressement auprès des personnes présentes en expliquant qu'il s'agit d'une communication déterminante pour l'entreprise, on promet de se hâter et on change de local.

Celui qui reçoit un appel urgent et important ne réclame pas le silence autour de lui et n'exige pas qu'on écoute sa conversation.

Il ne déclare pas qu'il est conscient que ce qu'il fait est incongru mais que rien ne l'empêchera de poursuivre.

Il ne doit pas rester en présence de son client ou de ses collaborateurs.

Si un visiteur se trouve dans le bureau d'un patron qui reçoit un appel urgent et important, il doit avoir la délicatesse de sortir du bureau ; après l'entretien, le patron l'invite à rentrer dans son bureau et présente ses excuses pour le contretemps.

LE CELLULAIRE, LE TÉLÉAVERTISSEUR

Ce n'est plus ni chic ni viril d'avoir un téléphone cellulaire. Au contraire, c'est très tendance de ne pas en avoir. Mais si on en utilise un, il est important de le faire avec courtoisie.

Avec un téléavertisseur en mode de vibration silencieuse, on est en mesure de déterminer si l'appel est urgent ou pas.

Si l'appel exige une réponse immédiate, s'excuser et s'isoler dans un endroit discret pour y donner suite.

Savoir que sa liberté s'arrête là où commence celle des autres.

À l'intention de l'usager du cellulaire :

Ne pas envahir la vie privée et la tranquillité des autres.

Ne pas l'utiliser dans les lieux publics tels que : restaurant, église, train, club, aire de détente, bibliothèque, cinéma, opéra, salle de concert, salle de classe, stade de sport, salle de conférence, terrain de golf, etc.

À l'intention de la victime du cellulaire :

Ne pas injurier ni agresser physiquement l'usager sans scrupule, ne pas lui lancer de regards furieux.

Ne pas jeter le mécréant par la fenêtre, qu'elle soit ouverte ou fermée, ne pas s'emparer de sa machine infernale pour la lancer en bas de l'escalier même si on a toutes les raisons de le faire.

Même un haussement d'épaules, un hochement de tête excédé peuvent générer des grossièretés de la part de l'usager.

Essayer la bravoure jusqu'au bout en restant charmant et dire : « Je comprends que votre communication est de la plus haute importance, autrement vous n'en informeriez pas tant de gens. Mais tout le monde ici apprécierait grandement que vous trouviez un endroit plus discret pour continuer votre conversation. Merci de comprendre. » Parfois la politesse est ce qui désarme le mieux les malotrus.

✪ Selon Umberto Eco, il n'y aurait que quatre groupes de personnes autorisées à faire usage d'un cellulaire.

1. Les personnes handicapées qui ont besoin d'une aide immédiate.

2. Les médecins qui font des greffes d'organes.

3. Les journalistes à l'affût d'un *scoop*.

4. Toute personne entretenant des relations extraconjugales...

LE RÉPONDEUR

L'outil qu'on aime haïr, mais dont on ne peut se passer. Il y a pire que la messagerie vocale ; c'est de ne pas atteindre la personne qu'on cherche depuis trois jours et de n'avoir aucun moyen pour le lui faire savoir.

✪ Que l'on ait un répondeur ou que l'on soit abonné à une messagerie vocale, il est essentiel d'enregistrer un message d'accueil.

Avant d'enregistrer le message, l'écrire et le répéter jusqu'à la perfection.

Veiller à ce que le message soit empreint de courtoisie et de cordialité.

Avoir la voix souriante pour se rendre accessible.

S'identifier par son nom entier.

Donner le sentiment que les messages sont bienvenus et qu'ils recevront une réponse rapidement.

Si plusieurs personnes se servent du même répondeur, la première qui relèvera les messages les livrera promptement à qui de droit.

☔ **Le message d'accueil ne donne pas l'impression d'être mécanique.**

Ne pas le bredouiller ni en avaler les données.

Ne pas l'accompagner d'un bruit quelconque, d'un mouvement symphonique ni d'une musique rap.

Dans le milieu professionnel, on n'enregistre pas de message rigolo.

Il n'est plus indispensable d'expliquer le mode d'emploi (attendre le bip sonore, laisser votre nom, etc.) Après 15 ans, on a appris !

Ne pas commencer un message par « Je », sans autre précision. Qui est « Je » ?

☼ Sur le répondeur d'autrui, laisser un message avec son nom entier et les coordonnées complètes en mentionnant la date et l'heure de l'appel. Ce n'est pas superflu de dire les raisons de l'appel.

Indiquer à quel moment on peut vous atteindre.

Répéter deux fois le numéro de téléphone pour éviter à la personne de réécouter le message.

☔ **Que les messages qu'on laisse à autrui ne soient pas trop longs ni trop personnels ni confidentiels.**

LE TÉLÉCOPIEUR (FAC SIMILÉ)

☼ Toujours faire précéder l'envoi d'une page titre comportant les données pertinentes (date, provenance, nombre de pages, destinataire, ses propres numéros de téléphone et de télécopieur).

Humaniser et officialiser ses envois en les signant à la main.

☔ **Ne pas encombrer le télécopieur d'autrui en envoyant de trop longs messages et de volumineuses pièces jointes.**

Ne rien y envoyer qui ne soit pas sollicité.

Ne jamais envoyer de curriculum vitæ par télécopieur à moins qu'on ne l'ait permis. Ce document est considéré comme confidentiel.

Surtout ne pas l'utiliser pour adresser des condoléances, des félicitations, des excuses, des invitations formelles (formelles ? par télécopieur ?) et des vœux de quelque nature.

LA CORRESPONDANCE

L'écriture est encore le moyen le plus élégant, le plus gracieux, le plus éloquent d'offrir son image. Il en est souvent fait mention dans ce livre. C'est très important.

En outre, on a toujours du plaisir à trouver parmi ses factures et feuillets de publicité une vraie lettre écrite avec cœur sur du papier véritable. Il n'y aura jamais rien pour remplacer cela.

✿ Une lettre à caractère personnel (condoléances, félicitations, invitations, vœux d'anniversaire et de Noël, excuses, remerciement, encouragement) est écrite sur du papier de bonne qualité et si possible personnalisé.

Chaque personne cadre devrait avoir, en plus de la papeterie de la maison, le bristol format carte postale (carton professionnel personnalisé) avec son nom imprimé en haut au centre et l'enveloppe assortie comportant le logo, la raison sociale et l'adresse de l'entreprise. Ce type de papier convient parfaitement à la correspondance sociale dont il est fait mention dans le paragraphe précédent. C'est l'image de l'entreprise qui est présentée ici.

Il est impératif de faire usage d'encre noire ou marine (l'encre sympathique étant réservée aux amis)...

Le P.D.G. n'hésite pas à avoir du papier gravé à son nom ou à son chiffre ; c'est chic comme l'entreprise qu'il souhaite diriger.

Souvent, il vaut mieux écrire que téléphoner, l'impression étant plus durable.

Merci de dire merci! On doit remercier pour des condoléances, un cadeau (imaginez-vous!), des félicitations, des photos et pour toute marque de sympathie et de gentillesse.

Les remerciements à des marques de sympathie publiés dans la presse s'appliquent au décès de personnalités, de dignitaires et de célébrités.

⚡ **Ne pas envoyer une carte de visite pour exprimer sa gratitude. C'est sec!**

Ne pas envoyer un dépliant de l'entreprise sans le signer ou sans un petit mot d'accompagnement.

Ce qu'il y a de plus inconvenant est d'envoyer des cartes commerciales (Hallmark pour ne pas préciser) dans le milieu professionnel. Aucune circonstance ne s'y prête.

C'est grossier d'écrire une lettre professionnelle sur du papier quadrillé ou ligné et troué (prévu pour les cahiers à anneaux).

Ne pas attendre trop longtemps avant de répondre à une lettre.

On n'utilise pas de traitement de texte sur un bristol.

Sur sa carte de visite, une femme célibataire ne fait pas précéder son nom de « Mademoiselle ».

✿ La formule d'appel est simple et adéquate : « Madame » – « Monsieur le professeur » – « Chère Madame Gauthier » – « Docteur » – « Monsieur le maire » – « Cher Maître Durand » – « Cher confrère et ami ». Le « cher » en français est plus rationné qu'en anglais et n'est utilisé que s'il existe une relation bien établie entre deux personnes.

La formule de politesse dans la salutation d'une lettre est très utile pour exprimer la nature de ses sentiments, qui ne sont pas nécessairement distingués; ils peuvent être amicaux, dévoués, cordiaux et... d'indignation aussi.

On accompagne toujours un reçu et un chèque d'une lettre ou d'un billet qui comporte quelques lignes en relation avec l'envoi.

Si le chèque provient d'une institution bancaire, financière ou gouvernementale et qu'il est constitué de deux feuillets (l'un étant le chèque, l'autre la note explicative), il est envoyé tel quel dans une enveloppe.

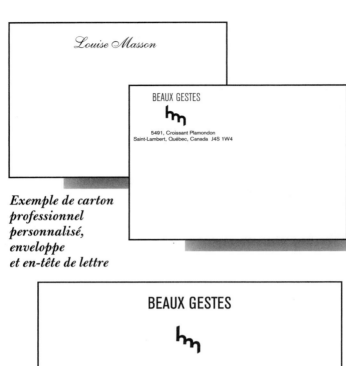

Exemple de carton professionnel personnalisé, enveloppe et en-tête de lettre

☔ « Bonjour » – « Allô » sont des formules d'appel inadéquates et des régionalismes et n'ont aucun caractère professionnel. C'est même rude.

Éviter de dire « Chère Dame », qui est très pompeux, et « Ma chère madame », qui est plutôt possessif.

On ne dit pas « Cher monsieur » ni « Cher Gauthier » (il faut écrire : « Monsieur » ou « Cher Monsieur Gauthier »).

Ne pas envoyer d'argent comptant ni un chèque nu dans une enveloppe. L'argent s'envoie et se traite avec pudeur.

☼ La date est inscrite en haut à droite et le destinataire et ses coordonnées complètes à gauche avec une marge des deux côtés.

La signature se trouve en bas à droite.

☔ On n'écrit pas dans la marge.

Si on a fait une tache d'encre ou de gras, on ne la maquille pas. On recommence sur du papier impeccable.

On ne commence pas une lettre par « Je », qui dénote l'égoïsme. Au lieu d'écrire : « Je reçois votre lettre à l'instant », on préférera : « Votre lettre me parvient à l'instant », qui est plus élégant et généreux.

☼ Une lettre personnelle peut être écrite à l'aide d'un traitement de texte à la condition que la formule d'appel (Chère Anne) soit écrite à la main, tout comme la signature (Rachel). La plume est plus élégante que le stylo.

Si la secrétaire écrit une lettre d'affaires dictée par son patron à un client qui est également son ami (c'est du domaine du possible), la lettre est présentée au patron comme toute lettre officielle. Le patron raye à la plume la formule d'appel « Monsieur » et inscrit à la main « Cher Henri » et à l'endroit de sa signature, il rature son nom et signe de son prénom « Robert », par exemple.

☔ Ne pas utiliser d'encre phosphorescente.

Ne pas succomber à la tentation des pictogrammes, qui ne sont amusants que dans la correspondance qu'on adresse aux copains.

Lettres d'affaires de circonstance

Si l'on connaît relativement bien le destinataire, donner toujours une touche personnelle à ses lettres d'affaires, même si on ne l'a rencontré qu'une seule fois.

Exemples proposés pour précéder la formule finale d'une lettre :

À une personne récemment rencontrée :
J'ai été ravi(e) de vous avoir rencontré(e) à la foire commerciale, la semaine dernière. C'est un plaisir additionnel que de pouvoir mettre un visage sur un nom.

À une personne qu'on connaît bien :
J'espère, cher François, qu'à votre prochaine visite au chalet, Jeanne et toi serez accompagnés des enfants. Marie se joint à moi pour vous faire part de notre amitié.

À quelqu'un que l'on connaît bien mais que des circonstances nous ont forcé à critiquer ou avec qui on diffère d'opinion :
Malgré la bonne amitié qui nous lie depuis si longtemps, j'ai dû te tenir ces propos bien pénibles à écrire, crois-moi.

À un excellent client, insérer en finale cette petite note personnelle :
Faire affaire avec vous me procure personnellement beaucoup de plaisir et, pour cette raison, je tiens à m'assurer que cette transaction soit menée avec brio. En souhaitant que votre bronchite soit une affaire classée, je forme pour vous des vœux de guérison définitive.

À un associé qui vient d'apprendre une mauvaise nouvelle au sujet de sa vie privée :
Après un décès, un divorce, une affaire scandaleuse, on n'est pas obligé, en lui écrivant, d'en faire une épître, mais il semblerait curieux de ne pas le mentionner. Faire une aimable référence dans le paragraphe précédant la formule finale :

Je sais que vous traversez une période difficile en ce moment. Je pense à vous de tout cœur.

Terminer une lettre avec des banalités comme celles qui suivent vaut mieux que rien du tout :

- En espérant que nos chemins se croiseront de nouveau...
- En souhaitant que tout aille bien pour vous...
- En vous offrant mes vœux de succès dans vos nouvelles fonctions...
- J'espère que tout s'arrangera pour le mieux...
- En me réjouissant de vous rencontrer bientôt...

Il y a aussi la perfidie d'une lettre anonyme :
Jean Cocteau a eu pour elle ces mots incomparables : « La lettre anonyme est un genre épistolaire. Je n'en ai jamais reçu qu'une et elle était signée. »

Lettres de remerciement

Toujours remercier par écrit, même trois lignes, sur son plus joli papier personnalisé, dans les circonstances suivantes :

- après avoir reçu un cadeau ;
- après avoir reçu des fleurs ;
- après avoir accepté un repas ;
- après avoir été invité pour le week-end ;
- après avoir été invité à l'opéra, au concert, au théâtre ;
- après avoir reçu des condoléances ;
- après avoir été bénéficiaire d'une faveur, d'un service ;
- à une personne qui aura adressé une lettre de références pour vous aider à obtenir un emploi, qui vous envoie un client, qui vous trouve un appartement, qui vous escorte à un grand dîner ou qui vous vient en aide.

Cher Charles,

Le dîner d'hier avec toi a été un événement que je garderai longtemps en mémoire. Tout était superbe : le restaurant, le raffinement des mets, ta charmante compagnie et notre intéressante conversation.

Vraiment, un grand merci !

Chère Judith,

Le joli cadeau que tu m'as offert m'a beaucoup touché et je viens te dire tout le plaisir qu'il m'a procuré. C'était gentil de te souvenir de mon anniversaire.

Merci.

ou

Chère Judith,

Ton superbe foulard me parvient à l'instant et je viens te dire tout le plaisir qu'il m'a procuré.

J'aime les couleurs, qui s'harmonisent avec mon pull en cachemire beige, et j'ai l'impression qu'on me verra souvent le porter. Vraiment, tu n'aurais pas pu mieux choisir.

Avec toute ma reconnaissance et mes baisers affectueux,

Comment remercier pour un dîner prié :

Chère Sonia,

Thomas et toi avez offert un merveilleux dîner, jeudi dernier. François et moi avons eu beaucoup de plaisir à rencontrer vos charmants amis. Ta table était somptueuse. Je n'oublierai pas les gardénias flottant dans ce magnifique vase de cristal et si artistement présentés. Et, franchement, le dîner était exquis. Je garde un souvenir enchanté de ces cailles délicieuses.

Thomas et toi êtes des hôtes parfaits et nous vous remercions de nous avoir comptés parmi vos invités à cette inoubliable soirée.

Comment remercier un(e) invité(e) qui a fait livrer des fleurs le lendemain d'une soirée :

Chers Carla et Henri,

Magnifiques, ces roses ! Votre geste nous touche beaucoup. Elles sont maintenant sur la console dans le hall d'entrée et quel plaisir de rentrer chez soi et d'être accueillis par tant de beauté.

Nous étions ravis de vous avoir hier.

Bonnes pensées,

Comment remercier pour une faveur :

Cher Paul,

Grâce à ta lettre au directeur de Gresham's, tout s'est très bien arrangé pour notre fils. Vraiment, je n'avais jamais imaginé les énormes difficultés auxquelles il a fallu faire face pour y arriver.

Il est évident que ta lettre a été le facteur déterminant dans la réalisation de notre rêve. Sois assuré que nous ne te dérangerons plus à cet égard, au moins pas avant onze ans, lorsque Louise nécessitera ton assistance pour entrer au Collège.

Reçois toute ma reconnaissance,

Lettre de félicitations

Chers Anne et Pierre,

C'est épatant d'apprendre la promotion de Robert au poste de vice-président de MNO. Rien d'étonnant à cela, si on considère ses nombreux talents et tout le travail dont il est capable. Bravo !

Bonne chance et nos vœux de succès,

Lettre d'excuses

Gérard,

Cet incident n'aurait jamais dû se produire entre nous et il a quand même eu lieu. C'était stupide de ma part de tenir ces propos qui ne te concernent, en vérité, pas du tout. Je suis sûr(e) que ton grand cœur excusera ma maladresse. Je sais qu'il y a beaucoup à pardonner, mais sois certain que je regrette sincèrement ce qui s'est passé.

Merci de te montrer si indulgent,

Lettre de condoléances

Cher Monsieur Gauthier,

En cette douloureuse circonstance, je viens vous présenter mes sincères condoléances. Même si je n'ai jamais eu la chance de rencontrer madame Gauthier, je vous ai entendu parler d'elle avec beaucoup d'affection et d'admiration et mes collègues m'ont dit qu'elle était une femme remarquable.

Votre deuil me chagrine et je souhaite que vous ayez le courage de surmonter l'immense vide laissé par votre épouse.

Veuillez accepter, cher Monsieur Gauthier, l'assurance de ma cordiale sympathie.

COURRIER ÉLECTRONIQUE (INTERNET)

Le dernier cri en matière de communication, et ce que l'on y trouve n'est pas toujours de bon goût. Internet nous en fait voir de toutes les couleurs, et des spécialistes de sites n'ont aucun scrupule à vous assaillir avec des propositions pleines de fautes de toutes sortes et d'un savoir-faire douteux.

Cette forme de communication est rapide et concise et n'est souvent lue que sur l'écran. Il serait donc judicieux de ne pas surcharger les messages et de ne pas en omettre la courtoisie élémentaire.

☼ En utilisant le courriel, s'appliquer à donner une impression positive, durable, forte et «in».

Si on efface le message après l'avoir envoyé, celui-ci reste dans la boîte de courrier du destinataire.

Être prudent et vigilant avant de presser sur le bouton d'envoi.

Un courriel doit porter le nom de l'expéditeur comme pour une lettre classique (sur Internet, il n'y a pas encore de papier à en-tête).

La provenance du message doit être claire pour le destinataire.

En guise de salutations, il devrait y avoir une formule polie pour conclure le message et exprimer la nature de ses sentiments. Ce système est pratique, courtois et pas superflu du tout. Un message ne devrait pas rester en suspens comme un hélicoptère au-dessus de la tête. Imprégner ses messages électroniques d'humanité.

Pour un courriel collectif, faire apparaître le nom des destinataires à cet effet, et attention à ne pas oublier un participant, qui pourrait se sentir exclu.

Souvent les courriels ressemblent à des aboiements ; cultiver l'art d'être électroniquement aimable.

Faire en sorte que le sujet soit évident et efficace. Il y a eu déjà des incidents de virus sur le Net et la panique s'est installée.

Il est essentiel de signer son courrier, ce qui se fait sur deux ou trois lignes : son nom, son adresse électronique et son site Internet s'il y a lieu.

Toujours envoyer un mot de remerciement à la main.

Les messages de remerciement, de félicitations, d'encouragement, de condoléances ne s'envoient pas par courriel. Rien ne remplace la gentillesse et l'élégance d'un mot écrit à la main sur du beau papier.

Les acronymes et les pictogrammes dérangent le regard, brisent le rythme de la pensée et rendent la lecture plus lente et difficile.

Éviter le ton impératif : «Envoyez ce message immédiatement», avec points d'exclamation et majuscules. Qui est enclin à répondre à un tel message ? Pourquoi ne pas écrire : «J'apprécierais que vous m'envoyiez ce message dès que vous le pourrez. Merci.»

La concision ne doit pas autoriser à être rude mais plutôt à être professionnel !

☼ Être bref.

Faire usage d'une formule d'appel et d'une formule de départ, au moins en français (chic, alors !). On vous distinguera de la masse !

Écrire correctement. On vous juge sur la qualité du style, de l'orthographe et de la ponctuation.

Toujours relire son texte avant de l'envoyer. L'expérience dicte de l'imprimer pour mieux le corriger avant l'envoi.

Si on a besoin d'une réponse urgente, téléphoner en laissant un avis.

Reprendre le message seulement s'il sert à éclairer le destinataire ; autrement, effacer tout le texte initial ; il alourdit le courrier inutilement.

☂ **Ne pas imposer des pièces jointes qui ne sont pas compatibles avec le logiciel de son correspondant. Se renseigner avant.**

Faire en sorte que le receveur ne perde pas de temps à essayer d'ouvrir des fichiers incompatibles.

Les gros fichiers comportant un nombre incalculable de graphiques paralysent l'accès à l'ordinateur. Ne pas les envoyer de cette façon. La poste et les services de messageries existent encore.

Ne pas expédier de pièces avec virus. Vérifier avant de les envoyer.

☼ Être toujours poli, diplomate et indulgent. L'impersonnalité du monde virtuel ne devrait pas faire oublier que les destinataires sont des êtres humains.

☂ **Un mot en lettres majuscules signifie que l'on hurle ou qu'on parle très lentement. Un peu de dignité, s.v.p.**

Attention à l'ironie, à l'humour et aux farces de bas niveau.

Ne pas écrire sur Internet des paroles qu'on ne dirait pas face à face.

Ne pas faire preuve de maladresse et de manque de tact en relevant les fautes du correspondant… même si c'est fort tentant.

LA CARTE DE VISITE

Elle est en bristol blanc, ivoire ou gris pâle et elle a généralement la dimension d'une carte de crédit (il faudrait absolument augmenter cette dimension car l'information que les cartes contiennent de nos jours est de plus en plus abondante).

✪ Une carte de visite est le profil de son propriétaire et de l'entreprise qu'elle représente.

La fantaisie est limitée. Choisir un carton de bonne qualité, d'une teinte qui soit en harmonie avec la couleur de l'encre, et une typographie qui corresponde au logo de l'entreprise ou au monogramme de la maison.

olivier lasser
illustration et graphisme d'édition

4030, rue Saint-Ambroise, Studio 400, Montréal (Québec) H4C 2C7
Téléphone : (514) 935-8396 • Télécopieur : (514) 937-2364
lasser@qc.aira.com

BEAUX GESTES

hm

ÉTIQUETTE SOCIALE ET PROFESSIONNELLE
NATIONALE ET INTERNATIONALE

LOUISE MASSON

5491, Croissant Plamondon,
Saint-Lambert, Québec J4S 1W4
Tél. : (450) 466-3580
Sans frais : 1 (800) 656-3580
Télécop. : (450) 466-1904
bogestes@total.net
www.beauxgestes.net

Elle est imprimée en caractères facilement lisibles et assez clairs pour que le 5 et le 6, le 3 et le 8, par exemple, ne portent pas à confusion.

Elle indique prénoms et nom, titre, fonction, adresse, numéro de téléphone, de télécopieur, adresse électronique et site Internet.

Les titres universitaires sont utilisés dans la mesure où ils ont un rapport étroit avec la fonction.

Si l'on occupe plusieurs fonctions, une carte est imprimée pour chacune d'elles.

Pour un cadre qui voyage, la carte professionnelle est imprimée dans sa langue au recto, et dans celle du pays d'accueil, au verso.

Elle doit toujours être impeccable.

Lorsqu'elle accompagne un cadeau, des fleurs ou un envoi, il est essentiel d'y apposer ses initiales après un mot de courtoisie.

En Occident, on attend d'avoir été présenté et d'avoir engagé la conversation avant d'échanger ses cartes.

🍂 **Ne pas choisir des couleurs féroces et des caractères d'imprimerie trop fantaisistes.**

À table, il est discourtois de distribuer sa carte à moins qu'il ne s'agisse d'un repas d'affaires et que l'échange se fasse discrètement à la fin du repas.

On ne donne pas sa carte de visite dans un salon privé.

Un homme ne remet pas sa carte de visite à une dame dans une maison privée.

On ne note pas le nom et les coordonnées de quelqu'un dont on veut retenir l'identité sur la carte d'une autre personne.

Une carte ne doit pas être cornée, sale ou raturée.

En changeant d'emploi, on veille à renouveler sa carte et à ne pas offrir celle de l'ancien employeur qu'on aurait soi-même corrigée.

À la recherche d'un emploi

Oser, c'est perdre l'équilibre un instant.
Ne pas oser, c'est perdre la vie.
SOREN KIERKEGAARD

Un chercheur de têtes pour des entreprises de haute technologie m'a confié que, il y a plusieurs années, un jeune homme fraîchement sorti de l'université s'était présenté à lui pour un poste qu'il convoitait. Le jeune homme lui était apparu très prometteur, car il avait montré une saine ambition, il avait fait ressortir des qualités recherchées et il dégageait une énergie et un zèle bien dosés ; tout cela l'avait persuadé que ce jeune était le candidat idéal.

Quelque temps plus tard, le chercheur de têtes a donc informé le récent diplômé qu'il lui avait obtenu un rendez-vous avec le directeur des ressources humaines de l'entreprise en question tout en lui précisant qu'il devait passer à l'agence avant de s'y présenter.

Quelle n'a pas été sa surprise de voir le novice arriver en chemise, col ouvert, sans souci aucun de son apparence. Dépité, le chercheur de têtes lui a prêté sa cravate et s'est mis en quête d'un collègue portant une veste qui correspondait à la taille du jeune homme et pouvait s'harmoniser avec son pantalon et sa cravate d'emprunt. On a expédié dare-dare le postulant à son rendez-vous. Son image l'avait précédé, avait établi sa crédibilité et il a fallu peu de temps pour convaincre le directeur de ses qualités professionnelles.

Aujourd'hui, ce jeune homme devenu un monsieur est P.D.G. de sa propre entreprise et déclare, mi-rieur mi-sérieux, qu'il doit sa carrière et sa réussite à cette première entrevue si bien orchestrée par une personne qui avait compris que seuls, les attributs académiques ne sont pas suffisamment concluants; il faut les appuyer sur une image solide.

Une autre candidate qui correspondait à la description d'un poste très enviable avait réussi tous les tests et entrevues, et les caractéristiques de sa personnalité enthousiaste faisaient d'elle la personne idéale. Elle avait franchi les diverses étapes jusqu'au moment où elle a osé demander avec une assurance débordante : «Alors, c'est lundi que je commence?» Le verdict s'est alors transformé en sentence défavorable. On lui a préféré une personne au caractère moins audacieux.

✿ Soumettre son curriculum vitæ (C.V.) en lui apportant un soin extrême.

Choisir un papier élégant et discret et veiller à ce que le texte soit bien imprimé, sans fautes ni coquilles typographiques, et qu'il contienne l'information adéquate :
nom, prénoms, date et lieu de naissance, adresse, situation familiale; tous les emplois en commençant par le dernier, avec dates d'embauche et références;
le parcours scolaire et universitaire et les diplômes;
les langues parlées et écrites et les passe-temps.

Accompagner ce document d'une lettre d'introduction :
qui met en valeur sa personnalité et son originalité et laisse deviner son potentiel de développement personnel et professionnel;
qui met en évidence son cheval de bataille;
qui souligne sa «force» maîtresse;
qui mentionne ses loisirs et intérêts divers.

Si on répond à une annonce, montrer de l'enthousiasme pour le poste et l'entreprise en question.

⚡ Éviter le papier de couleur brillante qui n'a pas sa place ici.

Ne pas négliger la révision du texte.

Ne pas trop se vanter en affirmant qu'on est le meilleur (comment le savoir ?).

Ne pas poser de conditions.

Ne pas proposer une date de rencontre.

Ne pas s'en tenir à « C.V. » mais écrire « Curriculum vitæ» tout au long.

Ne pas écrire au verso des feuilles.

Ne pas le plier mais l'insérer dans une grande enveloppe.

Ne pas l'envoyer par télécopieur ou Internet à moins que cela n'ait été spécifié.

ENTREVUE POUR UN EMPLOI

☼ Se vêtir de façon appropriée (voir le chapitre «L'image»).

S'assurer que son porte-documents est propre et impeccable.

La ponctualité est capitale ; ce qui ne veut pas dire d'arriver avant l'heure convenue (si oui, attendre dans le hall de l'immeuble).

En cas d'attente à la réception, lire avidement la brochure de l'entreprise.

Cette information supplémentaire servira pendant l'entrevue. Une visite préalable du site est certainement un atout en faveur du candidat.

Être assuré de la qualité de sa poignée de main, de son sourire, de son maintien (voir le chapitre «L'image»).

Laisser toute initiative à la personne chargée de l'entrevue.

Soutenir le regard de la personne en face d'un œil plein d'intérêt.

Se concentrer sur son objectif.

⚡ **Ne pas porter de fourrure ; c'est perçu comme prétentieux.**

À la réception, veiller à ne pas être inquisiteur ; rester neutre.

Ne pas s'asseoir avant d'avoir été invité à le faire.

Ne pas pousser la décontraction jusqu'à demander la permission de fumer.

Ne pas prendre trop d'espace vital et ne pas envahir le bureau avec son torse ou son porte-documents.

Ne pas être parfumé.

Ne pas enlever sa veste sans y avoir été invité.

Si des questions assassines surgissent, ne pas prendre l'air ahuri et démoli.

Éviter de lancer un regard agressif ou de jeter un coup d'œil résigné à ses chaussures.

☼ La première vertu du candidat est de savoir écouter.

Utiliser un langage de qualité et faire suivre les «oui» par «monsieur» ou «madame».

Le ton est juste et naturel et le choix du vocabulaire adéquat et simple.

Poser des questions pertinentes sur l'entreprise, son chiffre d'affaires, la description du poste et des tâches.

Décrire avec aisance son expérience internationale, s'il y a lieu.

Mettre en évidence son sens de la hiérarchie, surtout s'il est authentique.

⚡ **Ce n'est pas au candidat de mener l'entretien.**

Ne pas adopter des expressions triviales, des mots d'argot, des néologismes.

Ne pas se montrer fat en essayant de jongler avec l'imparfait du subjonctif et en s'écoutant parler comme si on était un rhéteur.

Ne pas ponctuer chaque phrase entendue d'un O.K. banal et inutile.

Ne pas dire « ouais » – « super » – « j'capote » – « ça s'peut-tu ? ».

En parlant de l'entreprise, savoir bien prononcer son nom.

Ne pas gonfler son expérience ni se prendre pour Tarzan.

Ne pas camoufler ses faiblesses ; ne pas les étaler non plus.

☼ Fournir toutes les références exigées.

Une lettre de références cherche à aider avec sincérité et autorité, pas à éblouir.

Les valider avant de les présenter.

Appeler les personnes concernées et les informer éventuellement du projet.

Démontrer volonté et enthousiasme devant les responsabilités décrites.

Respecter le temps alloué.

L'entretien est terminé lorsque la personne chargée de l'entrevue prononce des paroles de conclusion.

On se quitte en se serrant la main, debout, avec une expression de confiance.

⚡ **Si les réactions des personnes choisies pour donner des références sont négatives, ne pas insister.**

Ne pas dénigrer son ancien employeur. Rester loyal et digne.

Ne pas se laisser intimider par la personne qui conduit l'entretien ni se montrer agressif.

Si le résultat est négatif, ne pas se pendre ! Il y aura de meilleures occasions.

Le « small talk » conduit au « big talk »

*Pour réussir dans la conversation il faut admirer peu,
entendre beaucoup, ne jamais prétendre avoir de l'esprit
mais faire apparaître celui des autres
autant qu'il est possible.*
BENJAMIN FRANKLIN

À l'ère de l'informatique, l'art de la conversation est en péril ; peu de gens s'en inquiètent et les émissions de télévision ne favorisent pas son essor. L'art du « small talk » a pour but d'échanger de l'information, des idées et des opinions. Il peut durer quelques secondes et servir de brise-glace à tout entretien. Il est le ciment qui assure à toute relation le succès. Son ingrédient fondamental est la séduction.

Pour y réussir, il faut avoir à l'esprit les six questions magiques : qui, quoi, quand, où, comment et pourquoi. Lorsque la conversation en arrive à un point de congélation, tirez-en une au hasard et vous séduirez par l'appât du charme : « À quoi ressemble le climat de votre pays ? » – « Quand êtes-vous arrivé ? » – « Où avez-vous planifié de vous rendre après ce congrès ? » – « Comment s'est déroulée votre expérience à la cabane à sucre ? » – « Qui est la personne qui s'occupe de votre séjour ? » – « En quoi consiste votre programme ? » À ces questions, il y aura toujours une réponse autre que « oui » ou « non » ; elles garantissent le démarrage d'une vraie conversation.

Ce qu'il y a d'essentiel dans l'art de poser des questions, c'est qu'il laisse à votre invité la chance d'être au centre de l'attention et à vous, le loisir de bien écouter. Les questions polies sont toujours flatteuses et font ressortir les qualités de l'interlocuteur. Mais attention aux questions ambiguës. Un jour, une hôtesse a gentiment demandé à son invité : «Comment avez-vous trouvé Montréal ?» Il a répondu : «C'était très simple ; mon avion m'a déposé ici.»

☼ Utiliser le «small talk» avec brio ; il est le préambule de toute rencontre, réception, réunion, débat et conduit au «big talk».

Être un excellent «écouteur» pour connaître les autres et déterminer leurs attentes.

La voix est claire et le discours logique. En cas de problèmes d'élocution, voir un thérapeute. C'est majeur.

Le contact visuel est vital. Regarder l'interlocuteur sans relâche.

Si l'on désigne quelqu'un, le faire avec la main généreusement ouverte.

Être courtois et laisser les autres exprimer leurs opinions jusqu'au bout.

On est plus amusant quand on fait rire sans rire soi-même. C'est le rire en sourdine.

Selon Umberto Eco, il est politiquement correct de rire de ce qui est débile et idiot.

⚡ **Ne pas être pressé de discuter de l'ordre du jour.**

Ne pas user du « small talk » au-delà de 10 minutes avant une réunion.

Ne pas rire de son propre humour. Laisser les autres vous applaudir.

Ne pas rire aux dépens des autres.

Ne pas désigner les gens du doigt (les objets sont montrés du doigt).

Ne pas s'endormir pendant que les autres parlent.

Ne pas interrompre la personne qui parle.

Ne pas ignorer la personne qui vous adresse la parole.

☼ Avoir présents à l'esprit quatre sujets qui serviront d'ouverture à une conversation : l'humanitaire, les sports, l'actualité, la vie culturelle.

Obtenir cette information par la presse, la télévision et Internet.

Afficher une allure détendue.

Découvrir des points communs avec l'interlocuteur : amis, passe-temps, intérêts.

Poser des questions qui encouragent l'échange.

Entamer toute conversation de manière positive : «Quelle bonne idée de nous avoir tous réunis!»

Échanger l'information.

Avoir l'attitude positive de créer de l'intérêt à l'égard de l'autre.

Plus une personne se fait connaître, moins elle a besoin de se vendre.

Savoir terminer un entretien en mentionnant le plaisir d'avoir bavardé avec l'autre et la joie de le revoir et le quitter en offrant sa main à serrer.

Surtout, être toujours authentique.

⚡ Ne pas répondre uniquement par des monosyllabes.

Ne pas être crispé, hermétique ou montrer de l'embarras.

Ne pas engager un entretien autour de sa propre personne.

Ne pas enclencher une conversation par la négative : «Le buffet est tiède.» – «Le traiteur n'a aucun talent!» – «Vous avez lu que les valeurs de la Nasdaq sont en baisse?»

Ne pas formuler avec assurance des notions dont on ne connaît pas le sens.

Ne pas parler que de «business».

Éviter les lieux communs (clichés, banalités) et les superlatifs à la mode : «C'est super, c'est écœurant, tripant, capotant.» Ne pas dire à quelqu'un qu'il est hyperbolé, il pourrait y voir de l'emphase!

Ne pas se dérober au contact visuel.

Ne pas parler de sexe.

Ne pas être familier. Ne pas toucher les gens.

Ne pas éterniser une conversation au-delà du temps permis.

Avec un visiteur international

✿ Être au courant de sa culture, connaître les dirigeants politiques de son pays.

Montrer de l'intérêt à l'égard de son pays.

Poser des questions pertinentes sur sa culture.

En tout temps, tout lieu, le mettre à l'aise.

Tenir des propos nuancés.

Être charmant ; séduisant même.

Ne pas critiquer ce qui a trait de près ou de loin à son pays.

Ne pas être ignorant de sa culture.

Ne pas se montrer dédaigneux des différences sociales et culturelles.

Ne pas souligner les particularités qui le distinguent de vous.

Ne pas avoir d'opinions dogmatiques.

Ne pas regarder sa montre pendant une conversation ou une réunion.

Ne pas être séducteur(trice).

✿ Être discret sur les questions d'ordre personnel.

L'important n'est pas de parler mais d'avoir quelque chose à dire.

Lire les journaux pour pouvoir soutenir une conversation.

Savoir parler du marché qui monte, du prix Nobel.

Être positif.

Donner du lustre à la langue que l'on parle.

Être fier de parler correctement.

Être stimulant et enthousiaste.

⚡ Ne pas ébruiter de potins ni d'intrigues ni de scandales.

Ne pas affirmer quand on ne sait pas.

Ne pas parler de cancer, de sida ou de corruption.

Ne pas répondre aux questions d'ordre personnel ni en poser. C'est une attitude incompatible avec les affaires.

Éviter d'être familier. Jamais en affaires !

Éviter le langage vulgaire.

Ne pas insulter les gens qui parlent.

Ne pas condamner ceux qui ne partagent pas votre avis.

Ne pas utiliser de jurons (« tabarnouch » est un sacre mal déguisé). Bannir les anglicismes tels que : canceller, dispatcher, c'est l'fun.

Attention aux mots importés qui n'ont rien d'élégant : O.K., c'est dégueulasse, elle est chiante, on va bouffer, ça m'emmerde, p'tit con (qui est pire que « con » tout court).

Tu ou vous ?

Il faut bien se garder de la familiarité
quand on aspire sérieusement à la gloire.
Plutarque

*D*ans le milieu professionnel, la courtoisie commande parfois d'être distant, froid s'il le faut, jamais familier et toujours subtil. C'est ce qu'on appelle l'élégance.

La langue française nous offre le choix entre un «tu» et un «vous» qui permet de différencier les situations qui appellent le respect, la considération, le sens de la hiérarchie et la volonté d'établir une distance, qu'elle soit professionnelle, mondaine ou sociale, ou qui encouragent au contraire la familiarité, l'intimité et la convivialité. L'usage de l'un ou de l'autre peut transformer l'état ou la qualité de bien des rapports humains.

Le «vous» est le rein de la langue française : il filtre la mauvaise humeur, la colère, le mépris, l'insulte et la vulgarité.

Dans un esprit d'esthétique, Georges Duhamel rêvait d'une société qui ne tutoierait que les chefs-d'œuvre.

✿ On vouvoie une personne inconnue, plus âgée et de rang hiérarchiquement supérieur.

Le vouvoiement est une barrière de protection en affaires.

Il vaut mieux passer du vouvoiement au tutoiement que l'inverse...

Ne pas refuser le tutoiement à un client qui le réclame.

Devant la clientèle, ne pas tutoyer ses supérieurs.

Dans les pays de la francophonie, il est mal vu de tutoyer quiconque.

À quelqu'un qui refuse le tutoiement, ne pas dire : « Allez au diable ! »

Réussir une bonne réunion

La seule façon de défendre ses idées et ses principes est de les faire connaître.

Sɪʀ Wɪʟғʀɪᴅ Lᴀᴜʀɪᴇʀ

*L*a communication est impossible si on ne s'ouvre pas aux autres et si on ne développe pas le sens de la solidarité.

Une réunion est un moyen efficace de raviver l'esprit d'équipe, fort affaibli ces dernières années. Elle peut aussi l'anéantir si le président ne s'en est pas tenu à l'ordre du jour ou s'il a privilégié un participant au détriment d'un autre. Les collaborateurs marquent une extrême sensibilité aux règles du jeu. Le savoir-vivre à une réunion garantit une plus-value dans le développement de toute carrière.

La réunion est une occasion de faire preuve de civisme et de faire valoir son éducation. Les bonnes manières y sont indispensables pour augmenter la qualité de vie au travail et contribuent à optimiser les valeurs morales, à embellir l'image de l'entreprise et à jouer un rôle majeur dans son essor économique.

✿ Le matériel pertinent à la réunion doit être prêt et en place. Il est, en principe, fourni par le président de la réunion (*chairman*).

Être à l'heure et prêt à apporter sa contribution.

Le retardataire doit vite gagner sa place, s'excuser brièvement et encourager les autres à continuer.

Se présenter de façon concise et présenter les autres avec courtoisie.

S'assurer du confort des fauteuils, de la propreté des tables et de la bonne présentation du matériel.

Relire souvent la liste des participants afin de s'assurer qu'il n'y manque personne et que chaque nom est parfaitement orthographié.

Poser sur la table carafes d'eau fraîche, verres propres et serviettes.

À la pause-café, offrir des aliments frais et variés.

Penser en cours d'après-midi à offrir une tasse de bouillon de viande ou de légume pour revigorer.

Si, après la réunion, on veut s'entretenir en privé avec un collègue, on informe les autres de ses intentions en leur faisant comprendre qu'ils ne sont pas exclus d'une stratégie top secret.

Éviter d'entrer dans une salle de réunion en mâchant de la gomme.

Le retardataire ne doit pas s'écrier : « Je ne peux pas croire que vous avez commencé sans moi ! » ou « Peut-on revenir au début de l'ordre du jour ? »

Éviter d'en profiter pour rattraper le retard dans son travail.

Ne pas esquiver sa contribution.

La liste des participants ne doit pas donner des indications erronées sur une entreprise ou une adresse.

Freiner ses envies de vouloir toujours faire rire inopportunément.

Si on veut s'entretenir en privé avec quelqu'un à la fin d'une réunion et qu'on souhaite que les autres participants partent, on n'indique pas que c'est dans le but de parler de choses très importantes et on ne propose pas aux autres d'aller se faire voir ailleurs, ce qui est grossier.

☼ Respecter l'assignation des places à la table de réunion.

Chaque personne est assise selon son rang. C'est un acte politique.

Retirer les chaises des participants qui ne se sont pas présentés.

Distribuer des cocardes (optionnel) avec le nom entier, sans titre.

Désigner la place de chacun sur un carton où le nom apparaît des deux côtés.

⚡ **Ne pas négliger de chercher sa place à la table de réunion.**

Ne pas interchanger sa place avec une autre personne.

Ne pas prendre la parole plus longtemps que le temps alloué.

Ne pas laisser sonner son cellulaire.

☼ Observer les règles du maintien.

Conserver une énergie et un intérêt constants.

⚡ **Ne pas s'écraser dans son fauteuil ni jeter sa veste, son sac ou son porte-documents sur la table ou le fauteuil d'à côté.**

Éviter d'avoir l'air ennuyé ou de s'endormir.

Ne pas croiser ses bras devant soi (position hostile).

☼ Utiliser une langue de qualité.

Parler positivement. Préférer «Je ne peux pas être d'accord» à «Vous avez tort».

En parlant de son entreprise, on dira «Nous» plutôt que «Je».

En citant une personne présente qu'on a l'habitude d'appeler par son prénom, on dira : «Monsieur Séguin a mentionné...» plutôt que «Robert a mentionné...»

On invite les participants à s'exprimer.

On admet les échanges contradictoires sans paraître indécis.

⚡ **Ne pas commencer par : «C'est peut-être une mauvaise idée mais...»**

Éviter de jurer.

Ne pas interrompre la personne qui parle.

Ne pas se donner le mérite du succès de son entreprise.

Ne pas blâmer les autres en cas d'échec de son entreprise.

On néglige la langue figée ou le jargon opaque. Un avocat, par exemple, n'utilise pas de mots spécifiques au droit devant ceux qui ne sont pas de sa profession.

Quelle que soit l'institution, l'usage des surnoms est à proscrire.

☼ En fin de réunion, établir la date, l'heure et l'endroit de la prochaine rencontre.

Remercier tous les techniciens qui ont participé à l'organisation de la réunion (personnes liées à l'audiovisuel, interprètes, etc.).

Un des participants remercie le président de la réunion.

☂ **Ne pas quitter la réunion avant la fin.**

Ne pas prolonger la réunion au-delà de l'horaire.

Ne pas retenir les participants après la réunion.

Le repas d'affaires

À table on est tout nu ;
il n'y a rien derrière quoi on peut se cacher.

L a table à manger est le lieu d'hospitalité par excellence, un lieu de grande générosité, de convivialité et de plaisir. Il est indispensable de faire en sorte que tous les convives s'y sentent bien.

Le repas d'affaires a ceci de différent du repas social ou mondain qu'il sert de tremplin aux négociations sérieuses, favorise l'accroissement de sa clientèle ou encourage simplement le maintien d'une relation avec un très bon client. Être l'hôtesse ou l'hôte d'un repas d'affaires, c'est savoir orchestrer l'événement dans ses moindres détails depuis l'invitation, la réservation, l'accueil, le comportement jusqu'au règlement de l'addition.

Qui peut refuser le confort et la liberté que procure l'assurance d'un comportement impeccable, lequel permet de se concentrer sur une conversation professionnelle plutôt que sur l'angoisse de savoir comment tenir sa fourchette ?

Dans l'arène internationale, la corde est plus raide et il faut veiller à s'adapter aux règles locales. Les visiteurs qui viennent en Amérique du Nord doivent fournir également de grands efforts d'adaptation et nous devons aussi prendre en considération leur culture. Cette perle est pour vous :

Il y a quelques années, je me trouvais à la cafétéria du ministère des Affaires étrangères à Ottawa, en file avec mon plateau pour payer à la caisse, et j'avais devant moi un fonctionnaire local et son invité, qui m'a semblé d'origine asiatique. Mon œil de lynx m'indiquait que ce dernier était sur le territoire du Nouveau Monde pour la première fois.

Ma table était voisine de la leur et je ne perdais rien de ce qui se déroulait tout à côté. Comme il le faisait dans son pays, l'invité a saisi son sachet de thé, l'a déchiré pour laisser tomber dans sa tasse les petites feuilles qui s'y trouvaient. Son hôte s'est tout de suite écrié : « Mais non, monsieur, il ne faut pas faire cela. Ici, au Canada, le papier est traité pour qu'il soit ébouillanté et n'est pas nuisible pour la santé. » – « Comme c'est intéressant. Vous me voyez désolé » a répliqué l'invité. Un instant plus tard, le fonctionnaire canadien lui a offert un bol contenant des sachets de sucre. Le visiteur, confiant en ce qu'il venait d'apprendre, a pris l'un d'eux et l'a laissé tomber dans sa tasse avec son emballage !

Il est malheureux que le Canadien ait alors éclaté de rire, car cela a plongé le visiteur dans un profond embarras, lui a fait perdre la face et a considérablement compromis la réussite de leurs négociations.

Comment choisir un restaurant

✿ Préférer un restaurant ancien qui a une réputation et celui dont le personnel connaît vos habitudes.

En réservant, mentionner le jour, l'heure, le nombre de convives et le motif, s'il y en a un, comme l'anniversaire d'un ami, la promotion d'un collègue ; les restaurants ont des attentions particulières pour ce genre d'événements.

Les cuisines belge, française, nord-italienne conviennent mieux à des repas élégants.

Choisir un restaurant qui ne soit pas trop éloigné du bureau de l'invité.

En affaires, un repas exige qu'on rende la politesse de la même façon et de qualité égale.

Si l'hôte sait que son invité fume, il doit réserver dans la section «fumeurs» du restaurant.

Il est toujours plus prudent de confirmer la veille de l'événement sa réservation.

Pour son confort, spécifier que la table réservée doit être éloignée de la cuisine et des toilettes.

Si on choisit un restaurant qu'on ne connaît pas, s'y rendre la veille de l'événement pour se familiariser avec son environnement et le personnel.

Si le retard de l'invité est au-delà de 30 minutes et qu'il n'a pas tenté d'en informer le restaurant, l'hôte peut prendre la décision de commander pour lui seul ou de quitter les lieux ; ce comportement de l'invité est odieux.

Choisir un restaurant dont on sait qu'il offre un service professionnel et impeccable.

Ne pas choisir un restaurant dans les pages jaunes.

Ne pas laisser à son ou ses invités le soin de choisir un restaurant.

Ne pas négliger de prévenir le restaurant si on prévoit un retard ou tout changement des données (nombre de convives, heure d'arrivée).

Ne pas imposer une cuisine trop régionale ou folklorique à quelqu'un dont on ne connaît pas les goûts.

Ne pas s'aventurer dans un restaurant parce qu'il est à la mode.

Ne pas choisir un restaurant dont on sait que le personnel se montre impatient, intolérant et même vulgaire.

LE RÔLE DE L'HÔTESSE OU DE L'HÔTE

Arriver au restaurant 15 minutes avant l'heure fixée aux invités.

Vérifier que tout est selon ses attentes : situation de la table, accessoires, nombre de places.

Faire en sorte que ses invités ne connaissent pas le prix du menu.

S'entendre avec le chef des serveurs pour qu'il propose de vive voix le menu de la table d'hôte à ses invités.

Faire le choix de vins et recommander au sommelier de ne pas en offrir au-delà de la quantité prévue.

On peut confier à son invité d'honneur le soin de choisir un vin sur la carte, mais on risque fort de voir son addition considérablement altérée.

Prévoir de l'eau minérale.

S'entendre sur le règlement de l'addition.

Si possible, s'enquérir des allergies ou des interdictions alimentaires (motifs religieux) de ses invités.

L'hôte se lève toujours pour accueillir son(ses) invité(s).

L'hôte s'assoit le premier en priant du geste ses invités de l'imiter.

Si l'invité commande un plat coûteux, l'hôte doit en faire autant.

L'hôte doit toujours veiller à ce que ses invités ne manquent de rien.

Si on est l'hôte d'un dîner prié (pour lequel on a été prié à l'avance de venir dîner sur carton d'invitation) et qu'un invité appelle pour demander s'il peut venir accompagné d'un client ou d'un partenaire pour qui il n'y a plus de place, on déplore de se trouver dans l'impossibilité d'accepter, la table ne pouvant contenir une personne de plus, et on explique qu'il ne faudrait pas infliger aux autres convives l'inconfort du coude-à-coude.

Si, par extraordinaire, l'hôte a du retard, il doit téléphoner au restaurant et prier d'être excusé auprès de son invité, l'inciter à commander un apéritif et demander gentiment que le personnel s'occupe de lui.

⚡ **Ne pas laisser les invités arriver avant l'hôte. C'est grossier.**

Ne pas laisser les convives choisir leur place à table.

Ne pas laisser le chef des serveurs offrir d'apéritifs à un repas d'affaires à midi ; il faut penser qu'on doit retourner au travail après, avec l'esprit frais.

Si les invités arrivent en retard, ne pas regarder sa montre en les accueillant.

LA RESPONSABILITÉ DE L'INVITÉ

✿ Être à l'heure, c'est-à-dire 15 minutes maximum après l'heure fixée.

Si on prévoit un retard, informer l'hôte en appelant au restaurant.

En arrivant, s'excuser du retard auprès de l'hôte et saluer de la tête les convives déjà assis sans leur serrer la main.

Laisser à l'hôte le soin de désigner sa place à table.

⚡ Ne pas arriver avant l'heure fixée.

Ne pas prendre l'initiative d'informer l'hôte de ses allergies ou de ses habitudes avant d'avoir été invité à le faire.

Ne pas informer toute la tablée des motifs (vrais ou faux) de son retard.

L'invité ne doit pas prendre l'initiative de se commander un apéritif s'il n'a pas été prié de le faire.

Dans la situation d'un dîner prié, un invité ne demande pas à son hôte la permission d'emmener un ami ou un collègue ; si l'hôte doit faire face à une telle aberration, il ne réplique pas, cramoisi de colère : « Comment osez-vous me demander une telle chose ? »

ASSIGNATION DES PLACES

À la française

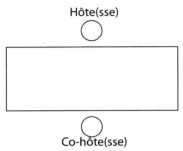

À l'anglaise

Déjeuner (lunch) d'affaires présidé par le (la) P.D.G. et dont les invités sont les cadres de son entreprise

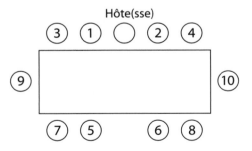

*   Notez que personne ne s'assoit devant l'hôte et que l'ordre des préséances dépend du rang et de l'ancienneté des cadres.

Déjeuner (lunch) d'affaires présidé par le (la) P.D.G. et son invité(e) d'honneur

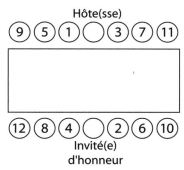

Hôte(sse)

⑨ ⑤ ① ◯ ③ ⑦ ⑪

⑫ ⑧ ④ ◯ ② ⑥ ⑩

Invité(e)
d'honneur

Table d'honneur à un banquet

Invité(e)
d'honneur   Hôte(sse)

⑦ ⑤ ③ ① ◯ ◯ ② ④ ⑥ ⑧

Déjeuner (lunch) d'affaires à une table ronde

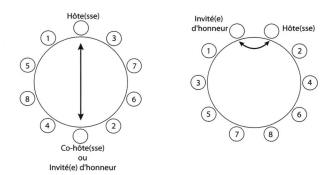

LE PLAN DE LA TABLE ET L'ASSIGNATION DES PLACES

☼ Le déjeuner (lunch) convient mieux aux repas d'affaires.

L'assignation des places est scrupuleusement observée.

C'est le rang d'une personne qui détermine sa place et non son sexe.

Dans un restaurant, les personnes dont la hiérarchie les place au plus haut rang s'assoient sur la banquette contre le mur.

Chaque table est présidée par un(e) hôte(sse) et un(e) co-hôte(sse) se faisant face.

À un repas d'affaires, la place d'honneur est en face de celle de l'hôte. Vient ensuite la droite de chacune de ces personnes et leur gauche.

À une table ronde, qui favorise la conversation et la convivialité, les convives sont d'un nombre pair afin que l'hôte et le co-hôte restent bien en face l'un de l'autre. Si le nombre des convives est impair, le co-hôte s'assoit à droite de l'hôte.

À une table rectangulaire, l'hôte et le co-hôte sont assis en face l'un de l'autre, à la française : au centre de la longueur de la table.

Si un couple se trouve à un repas d'affaires et que l'épouse surclasse son mari par son rang et son titre, c'est elle qui aura la meilleure place.

À un repas élégant où les convives excèdent le nombre huit, des cartons de table indiquent la place de chacun, et chaque nom parfaitement orthographié est manuscrit à l'encre noire ou bleu marine. Les cartons sont disposés sur la serviette de table, sur la nappe ou sur un porte-carton devant l'assiette de présentation. Les noms sont précédés du titre abrégé : M., Mme, Dr, Prof., Amb., etc.

À un dîner très élégant ou à un banquet, un menu est placé entre deux convives.

Les hommes aident encore les femmes à s'asseoir et celles-ci acceptent encore avec grâce.

Ne pas inviter quatorze personnes au cas où une personne se désisterait, car il faut éviter à tout prix d'être treize à table.

Veiller à ne pas inviter que de hauts dignitaires, car le plan de table devient un véritable cauchemar, les règles de préséance étant extrêmement compliquées.

Ne pas s'asseoir à sa guise ou changer de place avec un autre convive.

Ne pas omettre la hiérarchie au nom de la trop indulgente démocratie.

Ne pas chercher à s'asseoir près des gros bonnets.

Les femmes professionnelles ne doivent pas s'attendre à ce que leurs collègues mâles les aident avec leur chaise.

Ne pas asseoir ensemble les personnes d'un même groupe.

Si deux époux doivent s'asseoir à la même table, ne pas les placer côte à côte ou face à face.

Ne pas montrer son hostilité si un litige oppose deux voisins de table.

Ne pas asseoir un visiteur international près de personnes qui ne parlent pas sa langue et l'abandonner ainsi à lui-même.

En prenant sa place, ne pas déposer sur la table des objets personnels comme ses lunettes, ses cigarettes ou encore son cellulaire.

LE MAINTIEN

S'asseoir bien droit sur sa chaise, le buste fier.

Les jambes sont l'une près de l'autre, chevilles croisées ou pas.

Les mains doivent être visibles et posées de chaque côté de l'assiette tout le long du repas.

Les coudes et les mains jointes sous le menton sont permis entre les services (lorsqu'il n'y a pas de nourriture devant les convives).

Une femme peut garder son chapeau au repas de midi.

On éternue en se tournant de côté et en regardant le plancher ; on se mouche ensuite discrètement dans cette même position.

Ne pas s'appuyer au dossier et ne pas s'avachir sur sa chaise.

Ne pas « installer » son ventre sur le siège, les jambes écartées.

Ne pas plier son coude et l'appuyer sur le bord de la table en mangeant.

Ne pas s'appuyer sur ses coudes et envahir la table.

Ne pas se débarrasser de sa veste et la pendre au dossier de sa chaise.

Ne pas tourner le dos au voisin de gauche pour parler à celui de droite.

Ne pas se balancer sur sa chaise, dont les quatre pattes doivent toucher le plancher.

Ne pas tripoter ses cheveux.

Ne pas pencher sa tête vers son assiette pour aller chercher sa nourriture ; les biceps peuvent s'en charger en montant les aliments à la bouche.

Si, à un repas d'affaires, une femme doit quitter momentanément la table, les hommes ne sont pas tenus de se lever lorsqu'elle revient à sa place.

Ne pas se moucher avec la serviette de table (même en papier) et pas au-dessus des assiettes.

À un repas, il ne faut ni paraître triste ni attrister personne.

À moins d'être une femme enceinte, un médecin de garde, de réaliser que la nourriture qu'on vient de manger est avariée ou d'être indisposé, on ne quitte jamais la table pendant un repas. On prend soin de ses besoins biologiques avant le repas. Les vessies canadiennes ne sont pas de moins bonne qualité que les vessies européennes !

Quitter la table en plein repas cause un malaise parmi les convives et il indique un manque de civisme, d'esthétisme et de sociabilité.

COMMENT S'ADRESSER AU PERSONNEL DE RESTAURANT

☼ On appelle toujours le maître d'hôtel, le sommelier, le chef des serveurs et les serveurs par leur prénom, qui est inscrit sur leur uniforme.

Le chef cuisinier est la seule personne à qui l'on dit monsieur... Bocuse.

Le chef des serveurs est la personne qui prend la commande, qui prépare le poisson et qui reçoit les plaintes.

Si on est satisfait, on remercie personnellement le chef cuisinier en le faisant venir à sa table.

On vouvoie d'emblée tout le personnel de restaurant.

À la commande, on a soin de dire «s'il vous plaît».

Lorsque le plat est servi, on remercie.

On se souvient que le personnel de restaurant est temporairement au service de la clientèle.

⚡ **On n'appelle pas Bob un serveur qui s'appelle Robert.**

On n'évite pas le maître d'hôtel dont la fonction est d'accueillir, de connaître les exigences du client et de veiller au bon fonctionnement de la salle à manger.

On n'appelle pas un serveur(se) en claquant des doigts ou en l'interpellant d'un « Pssst », d'un « Chose ! » ou d'un « Hé ! » méprisants.

COMMENT DISPOSER LES ACCESSOIRES

☼ Un déjeuner d'affaires ne comporte que trois services.

L'assiette de présentation est l'axe principal du couvert.

Les couteaux se trouvent à droite, la lame vers l'assiette, et tout à fait à droite se trouve la cuiller à soupe, s'il y a lieu.

Les fourchettes se placent à gauche et dans les pays du Nord, à l'inverse des pays d'Europe méridionale, les dents se présentent vers le haut.

Déjeuner (lunch) d'affaires avec napperon

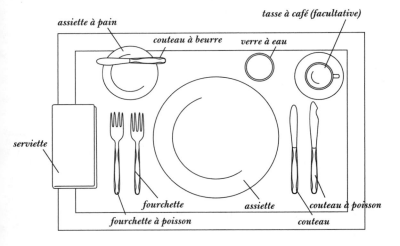

assiette à pain

tasse à café (facultative)

couteau à beurre

verre à eau

serviette

fourchette

assiette

couteau à poisson

fourchette à poisson

couteau

Déjeuner (lunch) d'affaires avec nappe (officiel)

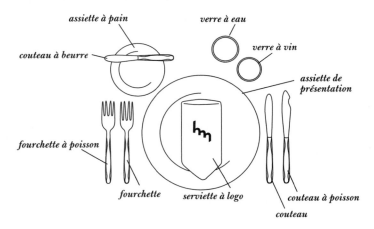

assiette à pain

verre à eau

verre à vin

couteau à beurre

assiette de présentation

fourchette à poisson

fourchette

serviette à logo

couteau à poisson

couteau

Dîner d'affaires (simple)

assiette à pain

couteau à beurre

verre à vin rouge

verre à eau

verre à vin blanc

cuiller
et fourchette à dessert

serviette

fourchette à salade
ou à entrée

fourchette
à dîner

assiette à dîner

couteau à dîner

couteau à salade
ou à entrée

Dîner d'affaires (protocolaire)

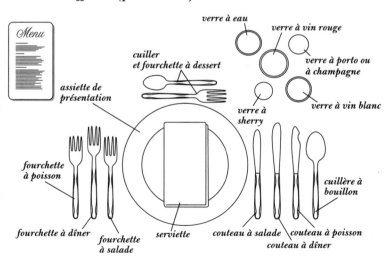

Menu

verre à eau

verre à vin rouge

verre à porto ou
à champagne

cuiller
et fourchette à dessert

assiette de
présentation

verre à
sherry

verre à vin blanc

fourchette
à poisson

cuillère à
bouillon

fourchette à dîner

fourchette
à salade

serviette

couteau à salade

couteau à poisson

couteau à dîner

27 MARS 2002

*D*éjeuner
en l'honneur de Victor Drapeau
pour ses cinquante années
de compétents services
chez
Dumas Couture inc.

Gaspacho
Pissaladière
Daurade au beurre
Légumes frais
Salade printanière
Sancerre 1993
Baies des champs
Café, thé

La fourchette et la cuiller à dessert forment un couple inséparable et se trouvent en haut de l'assiette, tête bêche.

L'assiette à pain, préférablement munie d'un couteau à beurre, se trouve à gauche près des fourchettes ou en haut de celles-ci.

Les verres se trouvent en haut à droite de l'assiette suivant l'ordre du menu.

La serviette de tissu est placée à gauche de l'assiette, sur l'assiette de présentation ou dans un verre en éventail à l'américaine.

Les bouteilles de vin sont sur une desserte ou dans un seau ; les carafes sont sur la table.

🍂 **Disposer plus de trois couverts à gauche et à droite est incorrect et parvenu.**

Les gauchers ne doivent pas changer les verres de place.

La tasse et la soucoupe à café n'apparaissent pas au début du repas.

La tasse à café ou à thé ne doit pas être servie avec la cuiller dedans.

On n'offre pas une tasse vide pour la remplir ensuite.

Le porte-couteau n'a pas sa place à la table des invités.

À un repas de plus de cinq services, on ne dispose pas d'assiette à pain sur la table ; le pain est servi sur la nappe directement et on ne réclame pas de beurre.

L'UTILISATION DES ACCESSOIRES

✿ Savoir tenir ses ustensiles est capital dans l'image qu'on projette.

La pointe du manche de la fourchette est campée dans la paume de la main gauche et son dos retenu par l'index. Le reste de la main embrasse le manche (dans la position d'une main qui montre la direction).

Le couteau se tient de la main droite de la même façon que la fourchette.

Lorsque l'usage du couteau n'est pas nécessaire, pour les pâtes par exemple, tenir la fourchette de la main droite ou de sa main maîtresse et de la même manière que l'on tient un crayon, entre l'index et le majeur et retenu par le pouce.

La cuiller à soupe se tient comme un crayon, elle prend le potage vers l'extérieur et se porte à la bouche parallèlement à celle-ci.

Entre les bouchées, on place ses ustensiles sur son assiette, les dents de la fourchette vers la porcelaine sur un côté de l'assiette et le couteau, la lame à l'intérieur sur l'autre côté de l'assiette.

Pour signifier que l'on a terminé, on place ses ustensiles l'un près de l'autre en position oblique.

Tous les verres se tiennent par la tige.

La serviette de table se porte sur les genoux et est utilisée pour essuyer la bouche et les doigts.

Si, pour des raisons exceptionnelles, on quitte la table, la serviette est posée sur la chaise et personne ne doit se lever pour accuser ce départ.

À midi, il est de bon ton de dresser la table avec des napperons et le soir avec une nappe. On peut aussi disposer des napperons sur une nappe.

Le centre de table peut être décoré de fleurs si elles ne sont pas trop odorantes.

Le rince-doigts consiste en un bol d'eau tiède et un quartier de citron que l'on place près des fourchettes et qui sert à se rincer les doigts (pas les mains) après avoir décortiqué des crevettes, mangé des moules, etc. On les essuie avec sa serviette (pas sur le pan de la nappe ni avec son mouchoir).

Le rince-doigts qu'on sert après les fruits contient de l'eau froide et des pétales de roses, qui ont des propriétés astringentes et dissolvent le sucre sur la peau.

Ne pas tenir sa fourchette comme un violoncelle et son couteau comme une hache.

Ne pas porter son couteau à la bouche. C'est criminel !

Ne pas gesticuler avec les ustensiles en main et ne jamais désigner quelqu'un avec fourchette ou couteau (brrr).

Ne pas engouffrer le potage en le faisant couler de la pointe de la cuiller.

Entre les bouchées, ne pas reposer la partie supérieure des ustensiles sur le bord de l'assiette et les manches sur la nappe, comme des rames de bateau.

Ne pas poser sur la nappe des ustensiles qui ont déjà servi ; si, dans un restaurant, on retire l'assiette de l'entrée en laissant au convive les couverts déjà utilisés, on les appuiera sur une autre assiette, même sur celle destinée au pain.

Ne pas heurter son verre d'un ustensile pour annoncer qu'on veut prendre la parole.

Ne pas prendre le verre par le galbe (pour ne pas laisser d'empreintes sur le verre ni changer la température du vin avec sa main).

Les gauchers ne prennent pas leur verre de la main gauche (ils savent déjà serrer les mains avec la droite).

La serviette ne se noue pas autour du cou, ne se cale pas entre les boutons de la chemise et, même par grand froid, ne se coince pas dans la braguette.

On ne se mouche pas dans sa serviette (ni dans la nappe !) même si elle est en papier.

Les femmes ne se débarrassent pas de leur rouge à lèvres à grand renfort de serviette de table.

Ne pas utiliser de bougies au déjeuner (lunch).

Ne pas encombrer la table de son sac, de son porte-documents, de ses lunettes ou de quelque autre objet innommable.

Si on est avec des convives, ne pas lire à table sauf... le menu.

À table on ne chante pas, sauf *Chevaliers de la table ronde*.

COMMENT APPROUVER UN VIN

✿ Après que le client a commandé le vin, le sommelier lui présente la bouteille afin que le client vérifie si l'étiquette correspond à son choix. Si oui, il fait un signe affirmatif de la tête et le sommelier débouche la bouteille et offre le bouchon à l'hôte. Celui-ci doit le sentir. Le sommelier verse alors un peu de vin dans le verre du client qui le fait «danser» pour dégager son bouquet, le sent et le boit. Si le vin est à son goût, il fait un signe approbateur au sommelier. Dans le cas contraire, il lui fait une petite moue discrète de déception et le sommelier se charge d'apporter une nouvelle bouteille.

⚡ Ne pas hurler ni condamner le restaurant tout entier si le vin ne répond pas à ses attentes.

Ne pas utiliser des mots réducteurs pour qualifier un vin qu'on n'approuve pas, ce qui n'est sûrement pas la meilleure manière de se faire remarquer.

☼ Une fois le consentement du client reçu, le sommelier verse du vin dans le verre approprié de chaque convive. Un tiers de verre s'il s'agit de vin rouge et un demi-verre pour le vin blanc.

⚡ **Un convive ne réclame jamais de vin, que ce soit dans une maison privée, une salle à manger d'entreprise ou au restaurant.**

Le convive ne demande pas que son verre soit rempli à ras bord.

COMMENT SE SERVIR ET MANGER

☼ Si le service est fait «à la russe» (le serveur offrant les plats à la gauche de chaque convive), on se sert d'un peu de tout à l'aide de la cuiller et de la fourchette de service.

Dans le service fait «à la française», le serveur sert lui-même chaque convive en déposant dans son assiette une quantité de mets égale pour tout le monde ; cette façon de servir se prête bien au déjeuner d'affaires préparé par un traiteur.

Le pain est le meilleur moyen de communication à table. Autrefois, on parlait de communion. Le faire circuler et regarder dans les yeux la personne à qui on l'offre ; il n'en est que meilleur.

Porter à sa bouche de petites quantités de nourriture et veiller à ne pas parler en même temps.

On peut exceptionnellement boire avec de la nourriture en bouche si elle est trop épicée.

On porte la tasse à consommé à la bouche en la tenant des deux mains par les anses.

Tout aliment indésirable qui est dans la bouche est retourné à l'assiette de la même façon qu'il y est venu (retourner l'os de poulet avec la fourchette, le noyau d'olive avec les doigts), à l'exception des arêtes de poisson qui s'enlèvent de la bouche discrètement avec les doigts.

Si des aliments sont coincés entre les dents, s'abriter derrière sa serviette formant écran et les déloger avec sa langue ou s'excuser et veiller à le faire dans l'intimité de la salle de bain.

Pour fumer la cigarette, il faut avoir l'assentiment de tous les convives et le faire au dessert et au café seulement.

Ne pas se servir de pain sans en offrir à ses voisins.

Ne pas boire quand la bouche est encore encombrée d'aliments.

Après avoir bu, ne pas s'exclamer d'un « Aaaaah ! » de satisfaction.

Ne pas vider son verre d'un trait.

Ne pas se gargariser, glouglouter ou se rincer la bouche avec le vin.

Même si on ne boit pas de vin, on ne le refuse pas en mettant sa main sur le verre ni en tournant celui-ci, l'ouverture contre la table.

Ne pas assaisonner un plat avant de l'avoir goûté.

À un buffet, ne pas se servir comme si on craignait de souffrir de la famine le lendemain.

Ne pas s'asseoir avant l'hôte ou l'hôtesse.

Ne pas manger « en zigzag », à l'américaine, en changeant tout le temps les couverts de la main gauche à la droite ; c'est très compliqué, bruyant et inélégant.

Ne pas demander devant les mets : « C'est quoi, ça ? »

Ne pas désigner la nourriture comme de la bouffe, petite ou grande.

Une fois servi, ne pas pencher sa tête juste au-dessus de son assiette et sentir (renifler) les mets.

Ne pas faire de bruit en mangeant.

Ne pas mastiquer la bouche ouverte.

Ne pas souffler sur la nourriture brûlante.

Ne pas réduire en miettes les craquelins dans la soupe et ne pas en prendre une douzaine à la fois.

Ne pas allonger le bras devant son voisin pour atteindre la salière.

Ne pas curer ses dents avec un cure-dent, la fourchette ou la pointe du couteau.

Ne pas pousser l'assiette pour signifier qu'on a terminé.

Il est inacceptable de dire qu'on n'aime pas ce que l'on mange.

Au restaurant, ne pas se plaindre de la qualité de la nourriture ou du service défaillant devant ses invités.

Les femmes ne rectifient pas leur maquillage et les hommes ne corrigent pas leur coiffure à table.

À la fin du repas, ne pas jeter sa serviette dans l'assiette dans laquelle on vient de manger.

Ne pas fumer dans une section « non-fumeurs » et, dans une salle à manger d'entreprise, ne pas allumer de cigare ou de pipe pendant ou après le repas.

COMMENT MANGER QUOI

☼ Le pain, les biscottes et les « Grissini » se rompent en petites portions et se portent à la bouche en une fois (bouchée).

On beurre son pain sur l'assiette à pain placée à gauche du couvert, pas en l'air.

Le seul pain dans lequel on peut mordre est celui des canapés dans les cocktails et le pain noir tranché mince (pumpernickel) déjà beurré qui accompagne le poisson fumé et les huîtres.

Le seul pain qu'on coupe avec le couteau est le croque-monsieur et le pain grillé déjà beurré (pain doré, toasts).

Si le voisin de gauche s'est servi de votre assiette à pain, vous beurrez votre pain sur l'assiette devant vous.

Il est strictement interdit de tartiner sa tranche de pain et d'y mordre en la déchirant avec ses dents.

Ne pas couper son pain avec le couteau.

Ne pas tremper son pain dans la sauce avec ses doigts.

Ne pas jouer avec la mie et en faire des boulettes.

Ne pas essuyer son assiette avec son pain.

☼ On boit le consommé en regardant dans sa tasse, pas au-dessus. S'il y a des corps solides (quenelles, croûtons), on les mange à la cuiller.

La soupe et le potage se mangent dans une assiette creuse à l'aide de la grande cuiller.

Une fois la soupe ou le potage terminés, on pose la cuiller dans l'assiette en dessous de l'assiette à soupe ou, si l'espace est trop étroit, dans l'assiette creuse, parallèle à soi.

Le sherry accompagne admirablement le consommé; on le sert dans un petit verre à cet effet et on en parfume de quelques gouttes le consommé.

☂ **On n'aspire pas bruyamment son consommé.**

On ne fait pas de bruit de langue avec son potage.

Une fois le consommé terminé, ne pas laisser sa cuiller dans la tasse mais dans la soucoupe.

☼ La salade a subi des changements ces dernières années. On peut déchirer les feuilles à l'aide du couteau et de la fourchette et faire de petits rouleaux retenus par les dents de la fourchette et qu'on porte à la bouche. Il faut un certain entraînement pour y arriver.

☂ **Ne pas porter à la bouche une feuille largement ouverte enduite de vinaigrette.**

Les tomates-cerises entières dans une salade avec vinaigrette ne se mangent pas; c'est dangereux de s'amuser à les capturer, car elles roulent comme des billes sur l'assiette et on court le risque qu'elles se retrouvent sur la nappe ou dans le décolleté de la voisine.

☼ L'asperge est un légume de choix et si elle est servie tiède, on la mange avec ses doigts; on la tient comme un crayon. Elle est tenue par sa partie la plus large qui ressemble à un manche de couvert.

☂ **On n'arrose pas ses asperges de vinaigrette. On met celle-ci à côté.**

On ne réclame pas de ketchup pour remplacer la vinaigrette.

☼ L'artichaut peut être servi en entier et, dans ce cas uniquement, se mange dans l'intimité familiale. L'assiette est inclinée d'un côté et surélevée de l'autre à l'aide d'un couteau qu'on pose dessous et le légume est effeuillé telle une marguerite. La vinaigrette est déposée dans la partie penchée de l'assiette, et on y trempe le bout charnu de chaque feuille, qu'on porte ensuite à la bouche et dont on dégage la chair à l'aide de ses dents, entre les maxillaires. Le «foin» est retiré avec un couteau et le fond tant attendu se présente enfin, qu'on mange agrémenté d'une sauce, avec fourchette et couteau. Pour les repas fins, on n'accommode que le fond (ou le cœur) bien net de l'artichaut et on le mange avec la fourchette et le couteau.

☔ **On ne sert pas d'artichaut entier à un buffet ni à un grand dîner.**

☼ L'avocat, s'il est servi en demi-portion et farci, est mangé avec une cuiller. La chair est ainsi plus facile à détacher de la peau.

Si la chair de l'avocat est réduite en purée et mélangée à du thon, par exemple, et remise dans la peau, on se sert de la fourchette.

Si la chair est découpée en dés et remise dans la peau, on utilise aussi la fourchette.

☔ **Les avocats n'apprécient pas qu'on les associe à l'avocat...**

☼ La pomme de terre, si elle est cuite à la vapeur ou à l'eau, se mange avec la fourchette, qu'on tient dans la main maîtresse.

La frite peut se manger avec les doigts.

Celle qui est cuite au four est vidée de sa chair avec la fourchette et enduite de beurre ou de crème sûre. On se sert de la fourchette et exceptionnellement du couteau pour découper la peau et lui donner la forme de petit colis avant de la porter à la bouche.

☔ **On n'écrase pas sa pomme de terre en purée pour l'irriguer ensuite de sauce, même si c'est délicieux.**

On ne se sert pas du couteau pour manger la chair de la pomme de terre.

☼ On coupe le sommet de la coquille d'un œuf à la coque avec la cuiller, qu'on utilise ensuite pour le manger.

Un œuf cuit dur se mange à la fourchette et au couteau.

Le bacon bien croustillant se mange avec les doigts.

⚡ Les « mouillettes » dans l'œuf mollet sont interdites.

Ne pas laisser tomber de jaune d'œuf dans sa barbe ou s'en enduire la moustache.

On ne trempe pas son croissant dans son café (chut ! seulement quand on est sans témoin).

✿ Toute volaille est mangée à l'aide de la fourchette et du couteau.

On peut la manger avec ses doigts à un pique-nique ou un repas intime.

⚡ On ne mange pas les cuisses de grenouilles avec ses doigts à un grand dîner. Les cailles et les perdrix, non plus.

✿ L'escargot est saisi avec une pince spéciale de la main gauche, et de la main droite, on tient la fourchette à trois dents pour extirper la petite bête de sa cachette.

Il est exceptionnellement permis de piquer un petit morceau de pain sur sa fourchette et de le tremper dans le beurre à l'ail.

⚡ Ne pas tenir en équilibre l'escargot avec ses doigts.

Ne pas passer « la vadrouille » avec son pain pour ramasser la dernière goutte.

✿ Le poisson est découpé et mangé à l'aide de la fourchette et du couteau à poisson. Le couteau se tient comme une spatule ou un crayon, c'est-à-dire le manche retenu entre le pouce et l'index et non pas dans la paume.

Le citron est percé à l'aide des dents de la fourchette avant d'être pressé sur les filets de poisson. Ce procédé évite d'arroser ses voisins.

On utilise une petite fourchette à trois dents au côté acéré pour détacher les huîtres et les palourdes fraîches de la coquille et les porter à la bouche. La coquille est retenue par l'autre main. Le mollusque peut être trempé dans une sauce et mangé en une seule bouchée.

On porte la coquille à ses lèvres pour en boire l'eau.

⚡ **S'il faut désosser un poisson, on n'enlève pas l'arête centrale pour la déposer au bord de l'assiette ; on retourne le poisson.**

Les moules, à part la première, ne se mangent pas à la fourchette mais avec l'aide d'une coquille vide qui pince les autres.

S'il n'a pas été prévu d'offrir une assiette pour y déposer ses arêtes ou ses coquilles vides, on n'en réclame pas.

☼ Le homard, c'est un régal dans l'intimité familiale. À un grand dîner, le servir à l'armoricaine, thermidor ou à la Newburg (décortiqués).

S'il est servi entier, autant se trouver dans le confort d'un jardin, de la terrasse ou près de la piscine tout en jouissant de la convivialité de ses intimes.

Les crevettes sont servies sur une très belle assiette avec des sauces fines proposées dans de petits bols.

Pour les décortiquer, avec les doigts, détacher la tête du corps et sortir la crevette de son corset.

Les crevettes se mangent avec les doigts à un cocktail et à la fourchette à un repas assis.

⚡ **Ne pas faire des mines de dégoût devant le « tomalley » (matière verte) et le corail du homard, qui sont très appréciés des connaisseurs.**

Ne pas laisser ses invités sans rince-doigts ou serviette humide.

Si, dans un cocktail, on offre de grosses crevettes et un bol de sauce, ne pas y tremper la crevette qu'on a déjà entamée avec ses dents.

☼ Les pâtes : les Italiens élégants tiennent la fourchette dans leur main maîtresse, le manche dans la paume, sélectionnent quelques brins et tournent la fourchette, les dents vers la porcelaine, jusqu'à former un petit paquet bien stable, et le portent à la bouche.

Le danger avec la cuiller dans la main gauche et la fourchette dans la main droite est que, si l'on mange les pâtes à la sauce, une fois le «rouleau» fin prêt, il ne glisse dans l'assiette et n'éclabousse convives, nappe, etc. Si on n'a pas maîtrisé ces techniques, s'abstenir d'en commander.

⚡ **Ne pas couper les pâtes longues (spaghetti, fettucine, tagliatelle, vermicelles) avec le couteau.**

Ne pas les enrouler à l'aide de la fourchette dans la cuiller.

Ne pas piquer la fourchette dans l'amas de pâtes et tourner comme un dispositif d'usinage pour en attraper le plus possible.

Ne pas en enfourner une quantité ambitieuse dans la bouche.

Ne pas couper l'excédent avec les dents en le faisant tomber dans l'assiette.

Si un brin se dégage de la fourchette, ne pas l'aspirer avec la bouche comme une paille.

☼ Les sauces, qui sont indiscutablement ce qui a reçu le plus d'attention dans un plat, se mangent avec et sur la viande ou le poisson qu'elles accompagnent.

On a inventé la cuiller gourmande ou à sauce très pratique pour éviter de tremper son pain ; elle est presque plate, assez large et sert à déguster la sauce avec un morceau de pain que l'on porte à la bouche.

⚡ **Ne pas lécher ses doigts s'ils sont enduits de la sauce céleste.**

Ne pas les essuyer sur la nappe.

Ne pas tremper ses doigts dans le verre d'eau pour enlever la sauce.

☼ Les fromages se présentent sur un plateau en matériau froid de préférence (marbre), avec le couteau spécial à fromage et une fourchette de même taille.

Les fromages à pâte molle (brie, camembert) se présentent la croûte en haut, ceux à pâte dure (roquefort, saint-paulin, oka), la croûte sur le côté et le chèvre à plat.

Puisque le fromage colle à la lame du couteau, on l'en détache en faisant passer une dent de la fourchette de service sur toute la longueur de la lame et en laissant le fromage intact tomber dans son assiette.

Tous les fromages doivent être identifiés par leur nom et leur teneur en matières grasses grâce à leur étiquette originale.

Une petite quantité de fromage est placée (et non tartinée) sur le pain avec l'aide du couteau. La portion de fromage ne doit pas excéder la quantité de pain, qui est elle aussi menue. Le tout est porté à la bouche avec la main.

⚡ **Ne pas toucher les fromages avec les doigts.**

Ne pas récupérer le fromage sur le couteau de service en le faisant glisser sur le bord de son assiette. Sa transformation physique n'aurait plus d'attrait.

En se servant du fromage de chèvre, qui est souvent en forme de saucisson, ne pas le piquer avec les dents de la fourchette de service pour le tenir en équilibre et l'empêcher de rouler; ce serait le blesser! Le maintenir plutôt sur le plateau à fromage avec le dos de la fourchette.

☼ Les radis, le céleri, les olives, les petits cornichons, les cerises, les prunes, les clémentines et les kumquats se mangent avec les doigts, et les pépins ou les noyaux sont rejetés dans la main et déposés sur le bord de l'assiette.

À une réception dans un salon ou sur une pelouse, disposer sur les tables des assiettes vides pour les bâtonnets ou les noyaux.

⚡ **Ne pas manger prunes, clémentines, etc., en une seule bouchée.**

Ne pas cracher les pépins ou les noyaux dans l'assiette.

À un cocktail, ne pas jeter par terre les noyaux, ni les camoufler sous le tapis, ni s'en débarrasser dans les plantes ou l'urne à parapluies.

À une *garden-party,* ne pas lancer les noyaux d'olives sur la pelouse.

☼ La pêche, la poire, la pomme, l'abricot, le kiwi se pèlent à l'aide de la fourchette et du couteau avant d'être découpés et portés à la bouche avec la fourchette.

L'orange se pèle avec le couteau et la cuiller et ses quartiers sont détachés avec les doigts et portés ainsi à la bouche.

Les fruits en compote se mangent à la cuiller. Les noyaux sont rejetés dans la cuiller et déposés sur un côté de l'assiette.

Les grappes de raisin sont offertes avec des ciseaux dont on se sert pour sectionner la quantité désirée.

⚡ **On ne mange pas une banane comme un singe à table mais avec fourchette et couteau.**

On ne se sert pas de raisin en tirant sur chaque grain lorsqu'il est sur le plat de service ou dans le compotier.

On ne mange pas les fruits plus gros sans l'aide d'ustensiles.

On ne crache pas ses noyaux dans l'assiette.

On ne laisse pas la pelure des fruits sur la nappe.

On ne camoufle pas les noyaux dans la serviette de table.

✪ Faut-il laisser des aliments dans son assiette?

Dans certains pays, comme la France, l'Italie, ne rien laisser prouve qu'on a apprécié les bons mets.

En Grande-Bretagne, dans les pays d'Orient, ne rien laisser prouve qu'on est affamé, et ce comportement n'est pas bien vu.

En présence de nourriture qu'on ne peut pas manger parce qu'on ne l'aime pas ou bien parce qu'on y est allergique ou pour des motifs de santé, de religion ou de diète, on ne dit rien; on manipule gentiment les couverts en faisant semblant de manger pour ne pas amener les hôtes à s'interroger ou à être offensés.

Oui, naturellement, c'est rendre service à son invité que de lui dire le plus discrètement possible qu'il a une petite feuille de persil coincé entre les dents.

Si on découvre un insecte dans son assiette, on lui prépare une modeste sépulture sous une tranche de carotte et on se tait héroïquement.

⚡ **Ne pas montrer son désintérêt en ne touchant pas aux mets généreusement offerts ni traduire du dégoût par des expressions corporelles ni émettre des bruits d'aversion (Yuck!).**

Ne pas prévenir qu'on a des allergies; dans ce cas, exceptionnellement, il faudrait manger avant de se présenter à ses hôtes, et une fois devant son assiette, «jouer» habilement avec les mets en faisant semblant de les savourer; c'est le seul moyen de ne pas mettre ses hôtes mal à l'aise.

Ne pas déclarer que le goût est bizarre.

Ne pas suggérer que le chef soit remplacé.

Ne pas demander à l'hôtesse si elle a essayé cette recette pour la première fois.

Ne pas dire qu'on n'a pas faim ou qu'on jeûne ou qu'on n'a pas l'intention de manger cette chose-là.

L'ART DE LA CONVERSATION À TABLE

✿ On est à table pour jouir de la présence des convives, surtout celle des hôtes. Ce qu'il y a de plus important à table, ce n'est pas tant ce qu'il y a dans les assiettes que ceux qui sont sur les chaises.

L'hôte est le chef d'orchestre de la table et il est responsable de l'orientation que prend la conversation.

Tous les convives doivent avoir été bien présentés pour que chacun sache avec qui il engage la conversation.

Les convives attendent le signal de l'hôte pour entamer la conversation ayant trait aux affaires.

Faire des affaires à table veut dire être constructif, positif, dans une atmosphère de détente.

Il est indispensable que tous aient droit à la parole et que les échanges fassent intervenir tous les participants au repas. Tout le monde doit être engagé dans la conversation et l'hôte verra à ce que le timide rougissant ait son tour.

Tourner la table est un excellent mode de communication. L'hôte entame la conversation avec la personne assise à sa droite et, au service suivant, avec celle à sa gauche. Toute la tablée suit ainsi son exemple et chaque convive a son inter-locuteur.

L'important n'est pas de parler mais d'avoir quelque chose à dire.

Lorsque l'hôte sent qu'il est temps de changer de sujet, il trouve une liaison subtile pour engager la conversation sur un autre thème.

C'est l'hôte qui donne le signal que le repas est terminé en demandant l'addition et en plaçant sa serviette sur la table.

Il est essentiel que l'invité d'honneur remercie l'hôte au nom de tous les convives et le félicite sur le choix du restaurant.

Tous les invités sont tenus d'adresser à l'hôte une note de remerciement écrite à la main, le jour même ou au plus tard le lendemain (voir le chapitre Communication – rubrique : la correspondance).

⚡ **La discussion, le débat et la polémique n'ont pas leur place à table.**

Le taciturne n'a pas beaucoup de valeur pour la société des affaires.

Aux repas d'affaires, il est interdit de sortir les dossiers relatifs à la rencontre (attendre au moment du café).

Éviter de s'engager au début du repas dans le vif du sujet d'affaires, ce qui est considéré comme très agressif et ennuyeux.

Lorsque l'hôte réalise qu'un convive devient trop virulent, il ne l'interrompt pas tout de go en commençant à raconter une blague, en clamant qu'il est temps de parler de la moustache de Roger ou en demandant à ses invités si cette conversation les ennuie autant que lui.

Ne pas parler de sujets qui ne sont pas à l'ordre du jour.

Les sujets à éviter à table : la religion, la politique et tout sujet susceptible de provoquer la controverse.

Même aux banquiers, il est interdit de parler d'argent, un sujet trop puissant et vigoureux pour s'accorder aux règles de l'hospitalité à table.

Ne pas parler de maladies.

Ne pas répandre de potins ni de scandales.

Éviter d'avoir des opinions dogmatiques.

Ne pas poser des questions personnelles : salaire, situation sociale, état de santé, déclaration de revenus.

Il est incongru de demander à quelqu'un son âge ou de chercher à le savoir par des questions détournées ou perfides : « Quel âge ont vos enfants ? » - « En quelle année avez-vous obtenu votre

doctorat ? » – « Je suis persuadé que vous et moi avons le même âge, non ? » – « Combien vous reste-t-il d'années avant la retraite ? »

Ne pas faire de remarques impertinentes ni de critiques.

Attention à l'humour déplacé ayant trait au sexe et aux blagues à saveur ethnique.

LA SCIENCE DES TOASTS

✿ Même si on ne boit pas de vin, toujours l'accepter et le considérer comme un élément magique à table, car c'est précisément ce qu'il est.

L'hôte propose, au début du repas, debout autant que possible, un toast de bienvenue à ses invités. Quel courtois brise-glace !

En portant un toast, on lève son verre à la hauteur du menton, on regarde les personnes autour de soi dans les yeux avec un bon sourire, on le porte à ses lèvres et tous les convives font de même.

Quiconque, tout en restant assis, peut proposer un toast à un autre convive.

Tout le monde lève son verre dans la joie de la convivialité.

Si un grand silence embarrassant s'installe, le rompre en proposant un toast au succès de la rencontre ou à un autre motif.

Si deux personnes se trouvent en pleine joute oratoire, la meilleure solution pour interrompre le conflit est de suggérer de boire à la promotion de tel collègue en l'honneur de qui l'événement a lieu, par exemple.

L'invité d'honneur, à la fin du repas, doit se lever et remercier l'hôte pour avoir eu la générosité d'organiser cette agréable rencontre à table.

Si le repas est très formel, on demande la permission à l'hôte pour porter un toast.

Si on a dressé une liste de personnes qui doivent porter des toasts, elles en seront prévenues et doivent accepter cet honneur et s'y préparer.

Si l'invité d'honneur est un personnage de haut rang, un dignitaire ou un visiteur international, il se lève pour proposer un toast et tous les convives doivent alors se lever.

Si notre verre est vide à la proposition d'un toast, on fait comme s'il était plein et on le porte à ses lèvres.

Le toast d'honneur est porté par l'hôte à la personne en l'honneur de qui l'événement a été organisé. L'hôte propose à tous les convives de se joindre à lui pour boire à la santé de madame X et célébrer ses 15 ans de compétents et loyaux services dans l'entreprise. Tout le monde se lève, sauf madame X. Tous lèvent le verre en regardant l'héroïne du jour (qui ne touche pas à son verre) et lancent : «À votre santé.» Ils se rassoient et madame X se lève à son tour, remercie, lève son verre et boit à la santé de chaque personne présente, en regardant chacune dans les yeux avec le sourire. Ce toast est particulièrement éprouvant, mais il laisse le souvenir d'une personne de grande courtoisie et de style dans la mémoire de tous les participants de la fête.

☂ **On ne remplace pas un toast de bienvenue par le commercial «bon appétit», qui n'est formulé que par le personnel de restaurant.**

Ne pas trinquer (choquer les verres) entre personnes qui ne se connaissent pas.

Il est indélicat de boire seul !

On ne doit pas obliger quelqu'un à porter un toast.

Un toast, s'il est accompagné d'une anecdote, ne doit pas se prolonger.

Si un convive veut porter un toast, il ne le fera pas savoir en faisant résonner son verre avec un ustensile.

Ne pas lever son verre quand l'hôte s'est levé pour prendre congé de ses invités.

On ne réclame jamais de vin, même si son verre est vide au moment d'un toast.

Quand on a trop bu, on n'a rien à dire. On reste assis.

LES DIFFICULTÉS ÉVENTUELLES

☼ Si on renverse du vin sur la nappe, on affiche son embarras et on présente ses excuses.

L'hôte rassure son invité en lui disant qu'il n'y a pas péril en la demeure et que cela porte bonheur (quel héroïsme !).

En quittant la table, on renouvelle ses excuses.

Le lendemain, on fait livrer à l'hôte un somptueux bouquet avec un mot d'excuse écrit à la main sur une petite carte.

⚡ On n'éponge pas le vin rouge avec sa serviette.

On ne réclame pas de sel ou de détachant.

On ne propose pas de la faire nettoyer.

On ne s'engage pas à la remplacer.

L'hôte ne fusille pas le maladroit du regard et ne fait pas de remarques désagréables ou ironiques.

☼ Si un invité casse un verre de cristal, un vase précieux (ou même pas précieux) ou une assiette de porcelaine, l'hôte conserve son sourire, reste courtois et s'inquiète de savoir si son invité va bien, s'il ne s'est pas blessé.

⚡ L'hôte ne se transforme pas en iceberg et ne mentionne pas que l'invité vient de réduire en miettes un objet d'une valeur inestimable, surtout en mentionnant le prix.

L'hôte ne réclame pas de son invité qu'il le rembourse ou qu'il fasse de l'ordre en lui tendant le ramasse-miettes et ne dit pas avec dépit : « La prochaine fois, j'utiliserai des assiettes de plastique ! »

☼ Si un invité allume une cigarette qui gêne les invités, on l'informe aimablement qu'il trouvera des cendriers sur la terrasse, le balcon ou dans le jardin. Il est vrai que cette solution ne s'applique pas lorsque le mercure est autour de zéro.

⚡ Dans cette situation, l'hôte ne réprouve pas à grands cris la conduite de son invité en demandant si le malheureux fumeur a l'intention de tuer tout le monde ou en lui disant qu'il ne peut pas prendre ce genre de liberté chez lui.

☼ Si l'hôte réalise qu'il a raté son plat ou que le dîner est immangeable, il adopte la solution de l'humour.

Il demande, l'air candide, s'il se trouve un invité qui préfère le saucisson hongrois. Il y a sûrement une salade prévue, des fromages et du pain, un dessert éventuellement pour pallier ce contretemps.

⚡ **L'hôte ne suggère pas, si le plat est brûlé, de manger entre les croûtes carbonisées.**

Il ne tente pas de remédier à la situation en plaçant une commande chez McDonald's.

☼ Quand l'hôte reçoit un cadeau de mauvais goût, il remercie chaleureusement et déclare que c'est la première fois qu'il voit un si original pot de chambre.

⚡ **Il n'avoue pas qu'il ne se serait pas offert une telle laideur, ne s'étonne pas devant un tel manque de discernement et ne dit surtout pas : « Vous n'auriez pas dû et je suis sincère ! »**

LES COMMANDEMENTS DU FUMEUR

☼ Éteindre ses mégots dans les cendriers.

Se débarrasser de sa cigarette en abordant une personne.

Même dans une section fumeurs, on demande la permission à tout le monde avant d'allumer une cigarette.

Quand on reçoit dans un salon, disposer des cendriers, des étuis de cigarettes, des allumettes ou des briquets et un désodorisant de fumée.

Un homme offre du feu à une dame avant qu'elle le demande.

⚡ **En dehors de sa maison et de son club privé, on n'allume ni cigare ni pipe.**

Ne pas parler avec la cigarette, le cigare ou la pipe à la bouche.

Ne pas souffler la fumée sur les personnes autour de soi.

Ne pas secouer la cendre ni écraser le mégot du pied sur le plancher ou sur le tapis.

Ne pas oser fumer dans un endroit de culte, une salle d'attente, un hôpital, une salle de spectacle, un supermarché, une bibliothèque, un ascenseur, un magasin, un cimetière.

Dans la rue, une femme élégante ne fume pas, ni un homme distingué en entrant dans un restaurant.

On ne fume pas en dansant, en se présentant, en rendant visite à un malade, en entrant dans le bureau de quelqu'un.

On ne fume pas la pipe ni le cigare dans les sections fumeurs des trains.

COMMENT RÉGLER L'ADDITION ET OFFRIR DES POURBOIRES

✿ Il est entendu que l'hôte détermine son rôle au moment de l'invitation afin qu'il n'y ait pas d'ambiguïté sur la personne à qui revient la responsabilité de l'événement.

Si on a ses habitudes dans un restaurant, sa réputation est déjà établie et on peut demander que l'addition soit envoyée à son bureau.

Si le restaurant choisi est nouveau pour l'hôte, s'entendre à l'avance avec le maître d'hôtel ou le chef des serveurs en lui offrant son numéro de carte de crédit ou en imprimant un feuillet de sa carte de crédit que l'on signe à la fin du repas.

On peut aussi choisir de signer le feuillet de paiement par carte de crédit à l'avance, de le confier au maître d'hôtel et de lui demander d'y ajouter le pourboire d'usage ; lorsque l'hôte quitte le restaurant, le maître d'hôtel se fait un devoir de lui rendre discrètement la copie du paiement.

Lorsque l'hôtesse est une femme et que l'invité est un homme et que celui-ci veut régler l'addition, madame devra neutraliser le débat en disant : «C'est moi qui vous ai invité mais c'est mon entreprise qui vous a sorti au restaurant.»

S'il y a insatisfaction à l'égard du service ou des mets, on règle le problème avec le chef des serveurs, le maître d'hôtel ou le gérant.

Si on est satisfait du service, on laisse en pourboire 15 % du total de l'addition avant taxes (au Québec, le montant des taxes équivaut au montant du pourboire).

Si on veut signifier son mécontentement, il vaut mieux laisser une pièce minime dans le plateau de l'addition que d'invectiver le personnel.

Savoir que le pourboire récompense le personnel de salle et non pas le chef.

Dans un restaurant très élégant en Amérique du Nord (Waldorf Astoria à New York) :

Dès l'arrivée, on dépose discrètement dans la main gauche du maître d'hôtel un billet de vingt dollars.

On laisse 10 % de la facture d'alcool au sommelier.

Le chef des serveurs reçoit 5 % de la facture de restaurant.

Les serveurs se partagent 10 % de la facture de restaurant. L'ensemble revient à environ 20 % du total.

Faire venir le chef à sa table à la fin du repas pour le féliciter de son talent est considéré comme un geste hautement civilisé.

Laisser un dollar au vestiaire.

Gratifier le voiturier d'un dollar en plus des frais.

Dans un restaurant très élégant en Europe (Maxim's à Paris) :

On ne reçoit qu'une addition sur laquelle un service de 15 % est retenu. Il est impensable de quitter un tel établissement sans ajouter 5 % qu'on laisse discrètement sur le plateau.

Ne pas laisser intervenir ses invités au moment de payer l'addition.

L'hôte élégant ne règle pas l'addition devant ses invités.

Si on choisit de payer l'addition comptant, on ne dépose pas tous les billets de banque côte à côte sur la table ; c'est très gênant pour l'invité.

Si on est mécontent du service ou de la qualité des mets, on ne hurle pas son insatisfaction en informant toute la clientèle.

On s'abstient de dire : «Vous ne semblez pas savoir qui je suis, n'est-ce pas?» ou «Combien de fois dois-je vous demander d'apporter une carafe d'eau?» ou pire : «Tu viens de perdre ton pourboire, mon garçon!»

Si l'hôte demande l'addition à table, il sait contrôler ses expressions d'ahurissement et de désespoir devant le total-surprise.

Il est tout à fait déplacé de vérifier l'addition à l'aide de sa calculette.

Si l'un des convives a une parcelle d'épinard sur les dents, on ne lui propose pas un cure-dent et on ne fait pas allusion à ses prothèses.

En quittant la table, on ne replie pas sa serviette dans ses plis d'origine.

La séduction en milieu professionnel

Rien de si aimable qu'un homme séduisant,
mais rien de plus odieux qu'un séducteur.
NINON DE LENCLOS

 VOUS !

La séduction est un ingrédient primordial de la réussite, qu'elle soit sociale, professionnelle, amicale ou personnelle, dans les milieux politique, commercial ou artistique. Mais attention de bien faire la différence entre être séduisant et être séducteur. Un profond fossé sépare le sens de ces deux mots. Dans la vie professionnelle, choisissez d'être séduisant !

À mon avis, le premier ministre de Grande-Bretagne, monsieur Tony Blair, est un homme séduisant. Le monde entier sait que l'ancien président américain, monsieur Bill Clinton, était un séducteur. Quant à notre premier ministre, monsieur Jean Chrétien, il n'est ni l'un ni l'autre.

Qui que vous soyez, c'est à vous que ceci s'adresse. Une fois que les règles seront appliquées et qu'elles feront partie intégrante de votre personnalité, elles deviendront naturelles et vous apparaîtrez comme un être agréablement authentique. Elles vous auront pourvu de ce que les Anglais appellent un «je ne sais quoi» d'indéfinissable qui fera de vous une personne différente, un sujet qu'on remarque, un être attachant qu'on veut suivre, qu'on veut imiter malgré soi et qui enchante jusqu'à la fascination. Sans authenticité, le charisme et le charme n'existent pas. La séduction non plus.

La séduction comme l'ambition ne sont pas des termes appréciés des puritains.

☼ Faire des mots d'esprit.

Apprécier l'humour des autres.

Savoir écouter avec ferveur.

Apprendre à être un bon perdant.

Faire des compliments bien tournés et à bon escient.

Accepter avec grâce les compliments des autres.

Être diplomate (qui n'est pas synonyme d'hypocrite).

Cultiver le tact.

Être gentiment sincère et sincèrement gentil.

Mépriser l'arrogance.

☂ Ne pas mentir.

Ne pas exagérer un compliment.

Ne pas en faire trop souvent.

Ne pas en faire à quelqu'un qui n'en mérite pas.

Ne pas être brutal dans ses déclarations.

Le faux gentil est souvent un vrai méchant.

Ne pas donner de faux espoirs.

On ne refuse pas en disant « non », qui est brutal ; on propose autre chose.

Le cocktail

Un gentleman est quelqu'un qui écoute l'histoire que vous racontez comme s'il l'entendait pour la première fois.
AUSTIN O'MALLEY

En affaires, un cocktail n'est pas un événement mondain. Mais, s'il est bien organisé, il peut être un outil prodigieusement efficace pour se faire connaître, rencontrer des gens («réseautage») et pour obtenir de l'information. Ses motifs sont variés, car il peut servir à célébrer la promotion d'une personne, à présenter un partenaire international, à promouvoir un produit ou un service, à annoncer un événement ou à exprimer sa gratitude à quelqu'un.

Ayons pitié des organisateurs d'événements qui, ayant lancé 500 invitations, et n'ayant reçu que 75 réponses, voient arriver 350 personnes à leur réception. Il y a de quoi prendre une année sabbatique!

De petites incartades demeurent néanmoins prévisibles. Il semblerait qu'à une réception un très jeune diplomate bavardait avec une haute et forte commère, mamelue et de surcroît dragon de morale. Tout était double chez elle, du biceps au menton, et ses seins tenaient plus de montgolfières que de coupes d'albâtre. Il demanda à sa voluptueuse cavalière portant bustier par quelle astuce sa robe tenait... Elle lui aurait répondu, habilement : «Par mon âge et par ma vertu.»

Un politicien distingué, gourmand des bonnes choses de la vie, s'est vu accorder une promotion au ministère des Affaires étrangères d'un pays de la Communauté européenne. Il était déterminé à être le premier de sa condition, depuis des décennies, à faire une visite de courtoisie à Vienne. À cette occasion, les Autrichiens ont vraiment mis les petits plats dans les grands et ont déroulé le tapis rouge en son honneur. Alors qu'il se trouvait au château de Schönbrunn pour un fastueux banquet, il s'est senti un peu perplexe. À sa gauche était assise une très attirante brunette ; à sa droite, une dame très impressionnante vêtue d'une vaste robe rouge camouflant toutes les formes que son corps aurait pu avoir. Il s'est engagé dans une conversation très animée avec la brunette jusqu'à ce que des airs joués par l'orchestre lui fassent prendre conscience de ses responsabilités et de la bienséance. Se tournant vers la dame enchasublée de rouge et lui prodiguant un charmant sourire, il lui a demandé : «Madame, me feriez-vous l'honneur de cette valse ?» Sur quoi elle a répliqué : «Non, monsieur. Ceci pour trois raisons : premièrement, nous sommes à un banquet et non à un bal ; deuxièmement, ce que nous entendons n'est pas une valse mais l'hymne national autrichien et, troisièmement, permettez-moi de vous informer que je suis le cardinal-archevêque de Vienne.»

Logo ou symbole

Nom de l'entreprise

Nom des hôtes

LA TOISON D'OR

Madame Anne Beaulieu et monsieur Paul Fort

Formule d'invitation

prient

Nom de l'invité(e)

....

d'assister au cocktail-buffet

Genre de réception

en l'honneur de

Monsieur Jean Proulx

Le motif

le vendredi 2 juin 2001

Date

Heure

de 17 h à 20 h

à l'Hôtel du Ruisseau

Chemin de la Rose

Endroit

Sainte-Agnès-des-Laurentides

À qui répondre

R.S.V.P.

Luc Pinet

tél. : 000-0000

Tenue

avant le 17 décembre 2001

Tenue de ville

Réponses formelles à une invitation

Pour accepter :

M. et Mme Gaston Fradette

se feront un plaisir de

se rendre à la gracieuse invitation de

M. et Mme Paul Fort

le vendredi 2 juin 2001

de 17 h à 20 h

Pour refuser :

M. et Mme Gaston Fradette

regrettent sincèrement

de ne pouvoir accepter la gracieuse invitation de

M. et Mme Paul Fort

à leur soirée qui aura lieu

le vendredi 2 juin 2001

Pour accepter et refuser à la fois :

M. Gaston Fradette

accepte avec grand plaisir

la gracieuse invitation de

M. et Mme Paul Fort

le vendredi 2 juin 2001

de 17 h à 20 h

Mme Gaston Fradette,

qui se trouvera en Europe à cette date,

regrette de ne pouvoir accepter

✪ Une invitation à une réception est envoyée par la poste ou par un messager.

Elle est rédigée sur un carton format carte postale et contient le logo de l'entreprise ou le monogramme de la société, le nom des hôtes ou le nom de l'entreprise, la formule d'invitation, la nature de la réception, le motif de la réception, la date, l'heure et l'endroit où elle se tiendra.

Elle contient la mention R.S.V.P., qui n'est pas du grec et qui veut dire «Répondez s'il vous plaît» et se trouve dans l'angle droit en bas du carton.

Une personne-ressource, son numéro de téléphone et la date limite pour répondre se trouvent sous cette rubrique.

Dans l'angle gauche en bas, la tenue est indiquée : tenue de ville, cravate noire, tenue militaire, etc. En cas de doute, demander à l'hôtesse de donner plus de détails sur la tenue exigée.

Veiller avec un soin scrupuleux à ce que chaque nom soit bien orthographié et le titre, approprié.

Il est impératif d'y répondre avant la date d'échéance par écrit, par téléphone ou sur un carton de même format qui indique clairement qu'on se fera un plaisir d'y assister ou qu'on regrette de ne pouvoir s'y rendre, ou les deux à la fois dans le cas où, dans un couple, monsieur accepte et madame décline parce qu'elle sera absente.

Une invitation faite de vive voix est confirmée par écrit.

Un refus à une invitation est motivé à l'hôte, et est regretté seulement au préposé du R.S.V.P.

Pour une invitation à un dîner à caractère officiel, il faut indiquer le nom de tous les invités afin d'éviter l'effet de surprise des rencontres déplaisantes.

Si on a un visiteur international dont il faut s'occuper à cette date, on téléphone à la personne-ressource et on lui demande la permission de venir accompagné de cette personnalité.

Si on a négligé de donner sa réponse à une invitation,

on appelle les hôtes avant la soirée, on offre ses excuses et on demande s'il est encore temps de se présenter. Si on vous a remplacé, former des vœux cordiaux de bonne soirée et faire preuve de regret.

Dans le cas où on n'a pas pu venir (et qu'on l'a fait savoir), le lendemain de la réception, on adresse des félicitations et des vœux de succès à la personne en l'honneur de qui la réception a été organisée.

🌂 **L'invitation ne s'envoie pas par télécopieur ni par Internet.**

Ne pas négliger de répondre avant l'échéance.

Ne pas répondre d'un négligent O.K. ou d'un insipide « Pas de problème ! » ou, encore pire, d'un paléolithique « Ça m'dérange pas ! ».

Quand on répond qu'on ne peut venir, on ne fournit pas la raison de l'empêchement à la préposée au R.S.V.P.

Le retard ne doit pas dépasser les 30 minutes.

On n'emmène pas à la réception des personnes qui n'y ont pas été conviées.

On ne remplace pas son époux ou sa conjointe par son adolescent.

On ne se présente pas avec son petit chien nostalgique.

Au-delà de deux refus à une invitation, on n'insiste pas ; une personne qui refuse plusieurs fois exprime ainsi son manque d'intérêt.

✡ Quelle que soit la réception (cocktail, buffet, dîner, lunch, déjeuner, banquet), on prévoit toujours une ligne d'accueil qui est composée de la personne qui offre la réception (P.D.G.), de celle en l'honneur de qui la réception est organisée et éventuellement d'un visiteur international.

Cette ligne se tient près de la porte d'entrée pendant une heure environ.

La bienséance exige que chaque invité s'y présente (voir le chapitre des présentations).

🌂 **La ligne d'accueil n'est pas constituée par les épouses ou les conjoints de ceux qui la composent.**

Les personnes à l'accueil ne boivent ni ne mangent ni ne fument pendant l'heure où elles accueillent les invités.

✪ Le matin, avant de partir au travail, se vêtir de son meilleur tailleur/complet et avoir dans son porte-documents (serviette), pour se changer avant de se rendre à une réception, une camisole de soie, un joli bijou et des escarpins du soir pour une femme, et une cravate de soie, pochette assortie (optionnel), une chemise de fin coton ou de soie et des chaussettes fraîches pour l'homme.

Si un homme et une femme empruntent un escalier, c'est madame qui monte avant monsieur; pour le descendre, c'est monsieur qui précède madame (au cas où madame tomberait, sa chute en serait agréablement amortie).

Pour entrer dans une porte à tambour, un homme passe d'abord, suivi de la femme qui l'accompagne, et c'est lui qui pousse (doucement!), qui sort le premier et qui attend la dame lorsqu'elle en sort en lui offrant sa main ou son bras, s'il le souhaite.

Être prêt à favoriser la communication, à se mêler aux groupes, à savoir se présenter, à être charmant.

Si on est un néophyte en matière de cocktail et qu'on ne connaît personne, on observe la salle et on repère le groupe qui s'amuse le plus.

Pour y entrer, on attend que le serveur s'y trouve, on le suit, on prend une bouchée au passage et, lorsqu'il continue son chemin, on y reste.

L'occasion de se présenter avec brio est à saisir.

Toujours tenir son verre et sa serviette cocktail de la main gauche, ce qui permet d'offrir une main non mouillée ni glacée à serrer.

Si le verre qu'on a en main est bordé d'accessoires encombrants et souvent inutiles, tels la cerise, la tranche d'orange, la tranche de citron, le bâton à mélanger et le petit parasol hawaïen, on retient ce qui convient et on remet dans une assiette vide à cet effet ce qui est sans intérêt.

Les glaçons sont dans le verre pour y rester et pour conserver la boisson fraîche.

Si on est en train de manger un canapé (souvent enduit de condiments à base d'huile) et qu'un ami ou son patron s'avance et offre sa main à serrer, on mange la bouchée rapidement et on essuie ses doigts sur sa serviette avant de l'accepter.

Le bâton à mélanger une fois utilisé, on s'en débarrasse.

Pendant le discours de bienvenue, avoir l'élémentaire politesse d'écouter.

Se souvenir qu'il faut toujours être séduisant, charmant, bon auditeur, virtuose du «small talk», etc.

En compagnie d'une personne ennuyeuse à qui on veut échapper, on l'amène vers un groupe de connaissances, on la présente et, dans le feu du débat, on la quitte discrètement sans s'excuser.

On pourrait également la quitter adroitement en lui exprimant le plaisir d'avoir eu une conversation avec elle.

☂ **Un homme élégant ne s'habille pas de brun pour se rendre à une réception et une femme ne s'asperge pas de parfum après une journée de travail.**

On n'est pas le premier arrivé et le dernier parti.

On ne se rend pas à un cocktail pour remplacer son dîner et tourner autour du buffet sans arrêt en jouant avec zèle des mandibules, onctueuses de mayonnaise et autres condiments.

Le «réseautage» ne donnera rien si on reste seul dans son coin en espérant que tout le monde ressentira une immense compassion pour l'âme abandonnée que l'on est.

Il n'y a pas de place aux cocktails pour les taciturnes.

Ne pas être trop bavard ni trop vantard.

En serrant la main d'une personne, on ne regarde pas au loin par-dessus son épaule pour jauger la salle et repérer quelqu'un de plus intéressant.

Ne pas remplacer la main à serrer par le baiser affectueux.

Ne pas offrir une main mouillée d'angoisse à serrer. Sécher furtivement la main dans la poche de son pantalon, de sa veste ou sur la serviette.

Ne pas porter à ses lèvres un verre plein d'accessoires.

Ne pas mordre la chair de la tranche d'orange.

Si la cerise est dans le fond du verre et qu'on souhaite la manger, on n'y accédera pas en roulant sa manche pour aller la pêcher avec ses doigts ou encore renverser le verre dans sa bouche en tapotant le fond pour faire tomber l'objet de ses désirs dans son gosier.

On ne se défait pas de ces garnitures dans les plantes, sous le tapis ou dans l'urne à parapluies.

Éviter de faire tomber dans sa bouche les glaçons pour les croquer tout en postillonnant sur les personnes à qui on s'adresse.

Si, en portant à la bouche un canapé, on s'aperçoit que quelqu'un vient vers soi, on ne le remet pas sur le plateau. On le mange. Le canapé.

On ne se gratte pas le fond de la tête et on ne tente pas de déloger un morceau d'olive coincé entre ses molaires avec le pic à mé-langer.

On ne touche pas les gens à qui l'on parle ; c'est trop familier.

Pendant les discours, car il y en a toujours pour souligner les motifs de l'événement, de grâce ne pas parler.

En compagnie d'une seule personne avec qui on ne semble pas avoir d'affinités, on ne la laisse pas choir comme un misérable et on ne s'échappe pas en demandant : « Pourriez-vous me dire où sont les toilettes ? »

Quand, à une réception, un monsieur rencontre une dame qui porte un vêtement de maternité, il ne lui demande pas quand aura lieu la naissance et ne fait aucune allusion à sa grossesse.

Si on s'est enivré et que les hôtes offrent qu'on soit raccompagné en taxi, on ne proteste pas en criant : « Vous voulez vous débarrasser de moi ? » ou encore « Donnez-moi un autre scotch et vous verrez que je retrouverai ma forme. » Comment une personne ivre peut-elle savoir vivre ? Et puis, on ne danse pas sur les tables.

RECOMMANDATIONS AUX DEUX GENRES

☼ Si on reçoit des compliments, on remercie simplement et avec grâce.

Si on s'aperçoit qu'un ami ou un conférencier a la braguette ouverte, il faut l'en prévenir avec tact.

Lorsqu'on reçoit un visiteur à son bureau, on le fait sortir le premier de la pièce et on le précède ensuite pour lui montrer le chemin à suivre jusqu'à l'ascenseur ou un autre bureau.

⚡ Quand on reçoit des compliments, il n'est pas nécessaire d'en faire en retour.

Ne pas s'enquérir de l'origine et du prix d'un vêtement.

Ne pas faire étalage de la griffe d'un vêtement. Il faut en être digne.

Ne pas s'indigner en réponse à un compliment sur un vêtement en disant : « Quoi ! cette vieillerie ? » car cela s'appelle du snobisme ou de la fausse modestie.

Rejeter un compliment est discourtois.

Ne pas distribuer de compliments extravagants à tout le monde.

Les affaires et l'humour

L'homme est le seul animal qui pleure et qui rit.
VOLTAIRE

Le rire est indispensable, à la condition qu'il soit un rire sain. Le rire qui tend à alléger les soucis du monde est réconfortant et apaisant. Dans nos sociétés actuelles où toutes les valeurs semblent se volatiliser, il ne faut surtout pas tirer sur les ambulances. À rire de tout, on tombe dans la vulgarité. Le bon rire est le meilleur catalyseur d'énergie et d'optimisme, l'antidépresseur le plus agréable du monde, et ses effets secondaires sont tous plaisants. Il met tout son entourage en état de lévitation.

Dans le milieu du travail, le rire exagéré, gaillard, répétitif et utilisé à toutes les sauces peut devenir lassant. Il devrait n'être appliqué que pour dénouer des situations ambiguës ou comme mode de communication. On tentera de ne pas s'en servir pour masquer sa timidité ou sa nervosité, ce qui les rend immédiatement repérables. Le rire extravagant, qui sonne faux, tombe vite dans la vulgarité et la grossièreté.

N'oubliez pas l'humour courageux, comme celui qu'exprime cette phrase du président Reagan au personnel hospitalier chargé de le sauver après qu'on eut attenté à sa vie : « J'espère que vous êtes tous des républicains ! » Cet humour-là appartient aux glorieux.

Au cas où vous n'arrivez pas à faire rire, il y a mieux : faites sourire ou souriez vous-même. C'est une proposition de paix. En outre, cette expression de joie subtile ne fait pas de bruit, ne choque pas les oreilles sensibles, rassure la personne qui la reçoit et enveloppe parfois votre personne de mystère. Veillez à ce que ce sourire ne soit pas crispé, ni arrogant, ni trop pieux. Souriez et la vie, semble-t-il, vous sourira.

☼ Il faut toujours faire appel à la décence et au discernement.

Saisir toutes les bonnes occasions pour faire rire aux éclats.

Savoir rire de soi-même est une récompense pour... soi ; l'entourage appréciera.

Rire pour dénouer des situations ambiguës ou un peu gênantes est une réaction normale.

Toute forme d'humour doit être traitée avec beaucoup de tact et de précautions ; il s'agit de ne pas blesser.

L'humour est indispensable à la séduction au cours d'une réception, d'un dîner, comme préambule à des réunions ou pour alléger une situation de malaise.

Savoir mesurer les risques avant d'en user et y mêler la politesse du cœur.

Être bon public et rire comme une baleine.

Si on n'arrive pas à faire rire, il y a mieux ; faire sourire.

On n'est pas obligé de rire d'une blague de mauvais goût.

⚡ Éviter tout ce qui a trait à la scatologie, au sexe, aux handicaps.

Ne pas faire éclater ni provoquer de rires grinçants, hostiles, gaulois, arrogants et sarcastiques. Les gloussements et les ricanements sont réservés à l'intimité.

Le rire extravagant est affecté et tombe vite dans l'inconvenance.

Tâcher de ne pas se trouver dans la situation de rire jaune.

Ne pas risquer un trait d'esprit avant de s'être ajusté au climat ambiant.

L'humour taquin ne doit pas être dirigé vers une personne manifestement timide.

Ne pas s'attaquer à une personne qui a une imperfection visible (le bègue, le strabique, le sourd, l'obèse. Ils sont de fragiles victimes.).

Si on souhaite marcher sur un terrain miné, on taquinera en public son patron ou son supérieur hiérarchique. Attention! Cela pourrait coûter même plus qu'une promotion.

Ne pas toujours s'en tenir à ses blagues usées, redites et devenues clichés.

Éviter à tout prix les blagues à caractère ethnique ou religieux.

Les blagues sexistes sont dépourvues d'attrait.

La différence est dans le professionnalisme

N'oubliez jamais que ce sont des professionnels qui ont construit le Titanic *et des amateurs l'Arche de Noé.*

ANONYME

E n son temps, l'ancien ambassadeur américain aux Nations Unies, monsieur Andrew Young, déclarait devant une assemblée de renards naïfs : «Nous sommes devant une dette commerciale de 170 milliards de dollars (de l'époque) parce que les capitaines de l'industrie américaine ne savent pas comment traiter avec les peuples de cultures différentes.»

Il faudrait garder en tête qu'en Amérique du Nord on place le travail bien avant le loisir, alors que dans beaucoup d'autres pays, c'est le loisir qui l'emporte sur le travail. Par exemple, dans les Émirats arabes, il serait impensable d'attaquer une rencontre par la négociation. Ils ont la courtoisie et la ruse, il faut bien le dire, de vous célébrer pour vous observer et pour établir éventuellement une relation de confiance réciproque avant de s'impliquer sérieusement dans une affaire.

☼ À cause de tous les préjugés et des luttes qui sévissent entre sexes, les femmes seront vigilantes quant à leur réputation.

⛈ **Elles n'accepteront pas d'accomplir des tâches que leurs collègues masculins refuseront.**

☼ Elles remettent à leur place tout collègue ou patron masculin tenant des propos ou ayant des agissements machistes.

⛈ **Elles ne donnent pas l'impression qu'on peut systématiquement compter sur elles pour faire des heures supplémentaires sans être rétribuées.**

Elles ne mettront par leurs charmes en relief, car le pluriel ici deviendrait très singulier...

☼ En cas de crises, de heurts ou de conflits internes, veiller à ce qu'ils ne dégénèrent pas en tir à l'arc ou en joutes diffamatoires.

Faire l'analyse rationnelle de ce qui a pu occasionner ce conflit.

Faire appel au médiateur de service.

⛈ **Ne pas prendre parti.**

Ne pas délibérer sans avoir entendu les parties.

Ne pas négliger de demander un avis supplémentaire à une personne qui a la réputation d'être objective.

Les gestes graves

Toute société, pour se maintenir et vivre,
a besoin absolument de respecter quelqu'un
et quelque chose, et surtout que ce soit
le fait de tout le monde,
et non pas de chacun à sa fantaisie.
Il n'y a que par le respect de soi-même
qu'on force le respect des autres.
DOSTOÏEVSKI

*P*ersonne n'aura assez de tact ni de noblesse pour apprendre à un être humain qu'il est privé de son gagne-pain sans l'humilier. Comme une maladie grave, on croit que cette issue fatale n'arrive qu'aux autres. La personne responsable de cette action profane devra certainement connaître les règles de l'étiquette et de la morale.

Quelle que soit la situation dans laquelle on se trouve, il faut savoir que le courage n'est pas impertinent et que dans l'héroïsme il y a une part de cœur. Choisissez d'avoir une âme inoxydable !

COMMENT REMETTRE SA DÉMISSION

☼ Une réflexion s'impose avant de prendre une telle décision.

Lui donner des allures civilisées.

L'offrir autant que possible de vive voix.

Laisser le temps à l'employeur de trouver un successeur.

Si on choisit d'écrire, exprimer ses doléances ou le désir de réorienter sa carrière.

Savoir déclarer ses regrets.

Exprimer de bons vœux pour l'entreprise.

⚡ **Autant que possible, éviter l'étalage de griefs.**

Ne pas écrire de paroles irréparables dictées par la colère.

Ne pas négliger les ententes stipulées dans le contrat d'embauche.

En cas de litige, ne pas hésiter à consulter un avocat.

COMMENT CONGÉDIER

☼ Être conscient de la gravité de la situation.

Être seul avec son employé.

Agir avec doigté, tact et bienveillance.

Se conduire avec pondération, respect, humanité.

Parler des qualités et du potentiel de carrière de son employé.

Évoquer les raisons du licenciement (récession, budget, régression).

Échafauder de bonnes perspectives d'avenir pour son employé.

Proposer des références professionnelles.

Si l'employé licencié s'est mal conduit, expliquer qu'il ne correspond pas aux attentes de l'entreprise et lui exposer les justifications qu'il est en droit de connaître.

À la fin de l'entretien, se quitter debout sur une franche poignée de main et de bons souhaits de part et d'autre.

Par ailleurs, si on rencontre un ami dont on sait qu'il vient d'être congédié, on le lui laisse gentiment savoir et on lui offre tous les encouragements possibles.

Ne jamais confier cette responsabilité à un collaborateur sauf à la direction des ressources humaines.

Éviter à tout prix d'humilier.

Quelle que soit la raison du renvoi, éviter tout paternalisme.

Ne pas congédier sans préavis.

Éviter sécheresse, manque de compassion, rudesse et grossièreté.

Ne pas mettre la dignité de l'un et de l'autre en péril.

Ne pas provoquer de représailles.

Ne pas manquer de goût au point de mettre la boîte de kleenex à la disposition de la personne congédiée.

À l'ami qui vient d'être congédié, on ne se montre pas inquisiteur quant aux compensations financières ou autres ou en lui demandant s'il a l'intention de poursuivre son entreprise en justice. Surtout, ne pas manquer de tact au point de dire : « Quelle chance tu as ! Moi aussi, j'aimerais être en vacances. »

Les cadeaux en affaires

Donner avec ostentation, ce n'est pas très joli,
mais ne rien donner avec discrétion, ça ne vaut guère mieux.
PIERRE DAC

En affaires, le cadeau prend des proportions différentes de celles qu'il a dans la vie privée. Mais il est toujours un geste gratuit qui exprime la reconnaissance.

Quel que soit le motif, on offre un cadeau pour remercier, exprimer sa joie, souligner un événement ou pour faire plaisir, tout simplement.

Dans le milieu professionnel international, il y a des tabous auxquels il faut se soumettre et des faux pas à éviter.

En prévision de la visite d'État en Inde du président J.F. Kennedy, son personnel avait fait préparer six douzaines de son portrait superbement placé dans un cadre de cuir de vache. Fort heureusement, on s'est aperçu de la gravité de la gaffe juste avant son départ. En Inde, les vaches sont sacrées et on n'y fabrique pas d'objets dans ce cuir; on ne les offre pas non plus.

L'exemple qui suit a eu des retentissements remarquablement positifs. Un homme d'affaires américain reçoit la visite de musulmans du Proche-Orient qui s'étaient souvenus d'une conversation aimable qu'ils avaient eue auparavant et qui mettait en relief la curiosité admirative de l'Américain pour le Coran. Ils lui avaient apporté en guise de cadeau une magnifique édition de leur livre saint en arabe et en anglais. L'Américain, ému aux larmes, ne voulant pas être en reste, avait prévu une petite boussole en argent sterling enfermé dans un écrin en forme de Ka'ba (édifice cubique se trouvant au centre de la mosquée sacrée de La Mecque) en expliquant que, comme ils voyageaient beaucoup, cette boussole allait les aider, lorsqu'ils s'agenouilleraient sur leur tapis de prière, à se diriger vers La Mecque. Ces musulmans étaient... aux anges, si j'ose dire.

☼ Savoir choisir avec mesure, imagination, et une générosité bien dosée.

Emballer le cadeau avec beaucoup de soin.

L'offrir au moment opportun et avec gentillesse.

La personne qui reçoit démontre sa joie.

⚡ On ne mandate pas une personne pour offrir un cadeau ; on fait ce geste personnellement.

Ne pas obliger quelqu'un en lui offrant un cadeau somptueux ou trop coûteux.

Ne pas offrir un cadeau sans raison valable.

Ne pas montrer sa déception si le cadeau ne répond pas à ses attentes.

Ne pas demander si on peut l'échanger.

Ne pas évoquer le prix ni faire l'éloge du cadeau qu'on offre soi-même.

☼ Un patron manifeste avec un cadeau sa reconnaissance à sa secrétaire qui a beaucoup travaillé à un projet.

Il souligne son anniversaire, Noël ou toute occasion évidente.

La cadeau le plus facile à offrir et le plus susceptible de plaire, ce sont les fleurs ; toujours les offrir en nombre impair et selon leur couleur, qui est significative.

Dans le doute, un patron peut offrir à sa secrétaire un bon d'achat d'un magasin élégant.

☔ **Un patron n'offre pas de cadeau à sa secrétaire le jour de la Saint-Valentin, à moins que…**

Il ne lui offre pas non plus de roses rouges.

Il s'abstient de la gratifier de lingerie fine et peut-être affriolante, et offrir un parfum est réservé à l'amoureux et à l'époux.

Il est de mauvais goût d'offrir un bijou à sa secrétaire, qui doit le retourner illico à son patron, à moins que l'épouse de celui-ci prenne la gracieuse initiative de remettre elle-même ce cadeau de prix à la secrétaire de son mari.

Une patronne ne prendra pas le risque d'offrir à son secrétaire masculin un cadeau à caractère personnel : sous-vêtements, littérature érotique, chaussettes, cravate, eau de toilette, bijou, maillot de bain, etc.

⚙ À un homme, on peut offrir des fleurs quand il est à l'hôpital.

Lui faire livrer une belle plante lorsqu'il reçoit une promotion.

Pour souligner un événement agréable ou le remercier, un coffret de bons cigares, une bouteille de vin fin ou d'eau-de-vie ou encore de champagne, une jolie boîte de chocolats fins.

Des accessoires de bureau ou des articles de voyage.

Un livre de culture, de science, un atlas, un roman, un guide.

Le cadeau d'affaires le plus prisé est celui qui correspond au passe-temps de la personne à qui il est destiné : un livre d'art à une personne de culture ; un livre ancien à un bibliophile ; des crampons à celui qui s'adonne à la varappe ; une planche de timbres exotiques à un philatéliste ; le dernier ouvrage sur les oiseaux à un ornithologue. Garder à l'esprit que tout cadeau doit respecter l'image de son entreprise.

Joindre une carte écrite à la main avec les mots d'usage dans une enveloppe de même format.

☔ **Ne pas faire livrer des roses rouges à un homme, en affaires.**

Ne pas offrir d'eau de toilette, de chaussettes, de cravate et encore moins de sous-vêtements à un homme dans le milieu professionnel.

Le cadeau ne doit pas être trop coûteux et ne doit présenter aucune ambiguïté quant à son interprétation.

☼ Chaque entreprise a ses politiques à l'égard des cadeaux de Noël à son personnel.

Certaines sociétés offrent le *party* de Noël en guise de cadeau.

Une enveloppe contenant un chèque et des vœux ou... vice-versa.

Une corbeille bien garnie de denrées de luxe.

Un superbe livre d'histoire ou d'art.

Un séminaire sur l'étiquette en affaires !

⚡ **Si les cadeaux sont personnels, ne pas chercher à savoir qui a reçu quoi.**

Ne pas réclamer la même chose que le collègue.

Ne pas manifester sa déception.

Un(e) secrétaire n'est absolument pas tenu(e) d'offrir un cadeau à son(sa) patron(ne) à Noël.

Ne pas offrir d'alcool à un alcoolique anonyme ou à un musulman.

Éviter les accessoires de fumeur à une personne qui vient de cesser de fumer ou qui a pris cette résolution.

Ne pas offrir un livre de médecine à quelqu'un qui est malade.

Ne pas offrir un livre de régimes amaigrissants à une personne souffrant d'obésité.

☼ Si, au bureau, une collecte est organisée pour acheter un cadeau à une collègue qui vient d'avoir un bébé ou pour faire livrer des fleurs ou un livre à un collègue qui est à l'hôpital, il se peut qu'on soit embarrassé d'y contribuer. Il faudrait dans ce cas expliquer avec finesse qu'on connaît si peu la personne en question. Il serait à conseiller de faire circuler une enveloppe dans laquelle chacun inclura sa participation, à sa discrétion.

Quand on reçoit un cadeau inattendu, on remercie chaleureusement et on se montre agréablement surpris.

⚡ Dans ce cas, il ne faut surtout pas dire : «Pourquoi devrais-je lui offrir un cadeau? Elle ne m'a jamais rien donné!» ou «Si je veux offrir un cadeau à quelqu'un, je le ferai moi-même!»

Lorsqu'on reçoit un cadeau sans raison évidente, on ne commet pas la maladresse de s'écrier : «Mais je n'ai rien pour vous!» - «J'ai quelque part un petit souvenir pour vous, mais je n'ai pas encore eu le temps de l'emballer.»

☼ Les cadeaux offerts au client sont souvent plus coûteux et leur choix doit être judicieux.

Dans le doute, consulter son assistant ou son collaborateur.

Pour les dignitaires de haut rang, s'adresser au secrétariat d'État.

La nature du cadeau promotionnel est d'encourager la fidélité d'un bon client envers son entreprise.

Le seul cadeau promotionnel qu'on peut offrir en guise de remerciement est la bouteille de vin dont l'étiquette porte le nom de l'entreprise.

⚡ Il ne faut pas remercier qui que ce soit avec un cadeau promotionnel, dont l'essence première est de faire de la promotion.

Dans le cas où il y a échange de cadeaux et que l'un des deux est largement plus coûteux que l'autre, on n'accepte pas en disant : «Mon Dieu! Comme j'ai l'air pingre» ou, ce qui est très malhabile et stupide : «Ce n'est qu'une partie du cadeau; le reste vous parviendra plus tard» ou le pire «Je n'apprécie pas les parvenus.» Remercier plutôt avec simplicité et émerveillement.

Dans le cas contraire, si le cadeau qu'on a offert est plus onéreux que celui qu'on reçoit, on ne s'exclame pas en disant : «C'est la pensée qui compte.» - «Les petites attentions sont pleines de bonnes intentions.» - «Je suis toujours impressionné de voir ce qu'on peut trouver pour cinq dollars.» Remercier avec des paroles gracieuses.

☼ Si on reçoit un cadeau de tous les invités, on déballe chacun d'entre eux, au moment du champagne ou du dessert, on exprime sa joie et on remercie.

Si on n'a qu'un seul invité qui se présente avec un cadeau, il faut l'ouvrir tout de suite.

Quand on reçoit des fleurs, après avoir remercié, il faut les mettre dans un vase immédiatement et les placer bien en vue.

Si parmi ses invités certains n'ont pas apporté de cadeau, il ne faut pas ouvrir celui des autres ; au départ de ceux-ci, on remercie et, le lendemain, on téléphone aux généreux donateurs pour exprimer sa gratitude.

Lorsqu'on reçoit des fleurs, on ne les oublie pas sur le comptoir de la cuisine ou la console de l'entrée.

Et, surtout, MERCI de dire MERCI.

Les moyens de transport et les affaires

Il suffit de regarder aux heures d'affluence un wagon de transports en commun pour comprendre sans peine que ce n'est point vers la donnée de l'universel que se dirige notre civilisation, mais plutôt vers le concept barbare de la horde.

DANIEL ROPS

E mprunter un moyen de transport pour se déplacer en affaires, c'est continuer son travail dans un autre « bureau » que le sien ; ce n'est pas exactement prendre un moment de répit entre deux rendez-vous. Depuis les tristes événements de New York, la vigilance s'est accrue dans les gares et les aéroports, et il faudra désormais prévoir accorder aux autorités plus de temps pour les contrôles approfondis et emporter moins de bagages dans la cabine ou le compartiment. Il serait sage de penser à voyager « léger » et de laisser son coupe-papier sur son bureau. Nous sommes entrés dans une ère de nouvelles priorités, et les voyageurs auront peut-être plus de devoirs que de droits. Malgré cela, bon voyage !

TAXI, LIMOUSINE, VOITURE OFFICIELLE

✿ Dans une voiture, la place d'honneur est à l'arrière à droite, où s'assoient notamment un monarque, un chef d'État ou un ambassadeur. C'est celle de la femme dans un couple.

Si un couple monte dans un taxi garé le long du trottoir, l'homme y entre le premier par égard pour la femme à qui il veut éviter de s'engager jusqu'au fond, gênée par une jupe trop étroite, un manteau ample, un chapeau, un sac à main, un bouquet de fleurs ou autre accessoire.

La femme se charge de fermer la portière.

Une femme qui prend place dans une voiture s'assoit de côté, fait pivoter son corps en gardant les genoux ensemble et hisse ses jambes pour les installer devant elle.

Si un homme raccompagne une femme à son domicile, il sort de sa voiture, ouvre la portière de la passagère, la laisse descendre et s'assure qu'elle est bien rentrée dans son immeuble avant de démarrer.

⚡ **Dans une file d'attente, à une station de taxis, on ne tente pas d'usurper la première place.**

Dans un taxi, on n'engage pas une conversation familière avec le chauffeur.

On n'impose pas son chien si le règlement ne l'autorise pas.

On ne fume pas dans une voiture louée.

AUTOBUS

✿ Dire bonjour au conducteur en montant dans l'autobus et le remercier en le quittant.

Si, au moment de monter dans l'autobus, on aperçoit une personne qui accourt pour ne pas le manquer, il faut le mentionner au chauffeur pour qu'il attende.

Qui qu'on soit, homme ou femme, il est élémentaire de céder sa place aux vieillards, aux handicapés, aux femmes enceintes ou aux femmes accompagnées de très jeunes enfants.

En autobus, le silence est de rigueur.

⚡ **On ne dérange pas la concentration du chauffeur en lui parlant, en faisant jouer son transistor à plein volume, et les conversations entre passagers doivent être discrètes.**

MÉTRO

☼ Comme en autobus, on cède ici sa place aux vieillards, aux personnes handicapées, aux femmes enceintes et à celles qui sont accompagnées de jeunes enfants.

Le passager debout veille à ne pas piétiner les pieds des passagers assis.

☂ **On ne prend pas ses aises en étirant ses jambes devant soi.**

On ne pose pas ses pieds sur le siège de devant.

On n'entrave pas le mécanisme de fermeture des portes avec les mains ou les pieds.

On n'utilise pas son téléphone cellulaire.

TRAIN

☼ Les hommes retirent leur chapeau en entrant dans la voiture d'un train et aident si possible les femmes seules à monter leur bagage dans l'espace qui leur est réservé.

Si on apporte avec soi un goûter, on le mange avec discrétion.

Si un voyageur souffre de la chaleur, est indisposé et désire ouvrir la fenêtre, il le fera avec l'assentiment de tous.

Les fumeurs se tiennent dans le compartiment qui leur est réservé.

Dans un wagon-lit, on offre à la personne plus âgée ou à la femme le choix de la couchette.

Au moment d'éteindre, on se souhaite bonne nuit et, au réveil, on se dit bonjour.

Au wagon-restaurant, on attend son tour d'être servi. Si on partage une table avec un passager inconnu, il est de mise de se présenter et d'offrir un verre de vin à l'autre passager ; la réciprocité du geste est encouragée.

⚡ **On n'allonge pas les jambes sur la banquette devant soi.**

On évite de retirer ses chaussures ; toutefois, on peut les remplacer par des chaussons confortables.

Les décibels des baladeurs ne résonnent pas en dehors des tympans auxquels ils sont destinés.

Dans un wagon-lit, on n'étale pas ses affaires sur le sol.

Au wagon-restaurant, on ne crie pas et on n'obstrue pas le passage central avec ses jambes.

Dans le compartiment réservé aux fumeurs, on ne fume ni cigare ni pipe.

AVION

☼ Même si prendre l'avion représente de plus en plus d'incommodité, la tenue vestimentaire est soignée bien que confortable.

Savoir représenter son pays commence à l'embarquement et au guichet des douanes.

Il est de bon ton de mettre ses effets personnels dans une valise ou un sac de voyage de bonne qualité.

Si on ne désire pas entreprendre une conversation, on le fait savoir en entamant la lecture d'un livre ou d'un journal.

Chacun contribue à garder les toilettes dans un état de parfaite propreté.

En quittant l'appareil, s'assurer de laisser sa place dans les meilleures conditions possibles.

Ranger journaux, revues et emballages de nourriture ensemble dans la pochette au dos du siège de devant.

Savoir sourire et remercier l'équipage qui se tient sur le seuil de l'avion en prenant congé.

Féliciter le pilote pour son excellente performance de vol s'il est visible et si le vol s'est effectivement bien déroulé.

Éviter les mises débraillées et imprégnées d'odeurs gênantes et tenaces qui provoquent l'hostilité des passagers et rendent la durée du voyage interminable et insupportable.

Ne pas transporter ses effets dans des cartons ficelés ou de grands sacs de plastique.

En cabine, ne pas encombrer l'espace restreint avec ses bagages à main.

Ne pas parler de catastrophes aériennes pendant le vol.

Ne pas refuser une attention aimable à ses voisins victimes d'angoisse.

Ne pas basculer son siège sans se soucier du confort du passager derrière.

Ne pas accaparer le personnel de bord.

Ne pas critiquer la médiocrité des repas.

Ne pas emporter avec soi couvertures et écouteurs.

Les affaires internationales

À Rome, on vit comme les Romains.

Avant de se rendre en pays étranger, il faut s'y préparer et savoir où l'on va ; surtout s'il s'agit d'y faire des affaires.

Toute personne mandatée à l'étranger devrait se souvenir qu'elle se trouve dans un pays hospitalier et qu'il est fort inconvenant de le critiquer ouvertement et de parler avec mépris de ses habitants et de ses coutumes.

Il est important de ne pas juger ses hôtes, car ils vous accueillent avec leur cœur et leur culture.

La politesse, c'est la tolérance universelle.

Il est utile de mentionner que beaucoup de voyageurs ont eu la candide mais stupide idée de se présenter dans le pays de leur destination affublés du costume national ou folklorique du pays hôte. Non, les Mexicains n'apprécient pas de nous voir arriver avec un sombrero sur la tête, les Indiennes n'approuvent pas toujours de voir une femme d'affaires arriver en sari, et je ne pense pas que les Papous se mettraient à nous célébrer si nous nous présentions avec un os en travers du nez.

Quand on arrive en terre étrangère, il faut avoir en tête le nom des personnes qui nous accueillent et savoir le dire correctement.

Dans certains pays (et il y en a beaucoup), les titres sont obligatoires. Il serait malvenu d'engager un entretien en proposant qu'on vous appelle Bob.

✿ Faire la différence entre voyage de plaisance et voyage d'affaires.

Consulter un guide d'histoire et de géographie du pays où l'on se rend.

Prendre en considération les «sensibilités» à ménager.

Retenir les faux pas à ne pas commettre, les expressions à ne pas employer.

Être curieux de ce qui fait plaisir à ses hôtes.

Apprendre quelques mots de la langue du pays qu'on visite.

Faire imprimer au verso de sa carte de visite les mêmes données dans la langue du pays hôte.

Apporter un dictionnaire bilingue (sa langue et celle de son hôte).

Prévoir dans sa valise des cadeaux de qualité.

À la fin de toute présentation, au moment où la négociation paraît être acceptée, on remercie dans sa propre langue et dans celle de son hôte.

À Taïwan, pour remercier à la fin d'un bon repas, on tapote légèrement la table de ses doigts.

Offrir des fleurs est un geste très apprécié des Mexicains, mais il faut veiller à les choisir blanches.

En Chine, il vaut mieux offrir à l'hôte un bouquet de fleurs dans un vase ou un arrangement floral dans une corbeille préparés par un fleuriste local.

En Inde, en rencontrant son hôte, joindre les paumes de ses mains devant sa poitrine et incliner la tête.

Quel que soit l'endroit du monde où l'on se trouve, si l'aspect de la nourriture est différent de celui auquel on est habitué chez soi, on doit prétendre qu'on y prend du plaisir et qu'on apprécie la générosité de ses hôtes.

En Suède, lorsqu'on vous demande votre titre et le nom entier de votre entreprise, il faut offrir sa carte de visite qui donne au verso la même information en suédois.

Au Koweit, lorsque le café est servi, il faut boire deux tasses, de la main droite, et refuser la troisième.

Avec un Arménien, éviter d'aborder le thème de la Turquie.

Ne pas parler de communisme en Espagne.

En Grèce, ne pas commander de café turc.

En Australie, quand tout va bien, ne pas le signifier en levant le pouce en l'air (c'est un geste obscène).

Au Brésil, en Grèce et dans l'ex-URSS, ne pas former le zéro à l'aide du pouce et de l'index pour montrer que tout va bien ; c'est licencieux.

En Chine, ne pas laisser de pourboire.

Au Mexique, ne pas offrir de fleurs rouges.

Aux Pays-Bas, ne jamais refuser un verre, préambule à toute négociation.

Au Japon, ne pas entrer dans un salon de thé avec ses chaussures et ne pas laisser de pourboire nu (l'enfermer dans une enveloppe et le laisser au maître d'hôtel).

En Inde, ne pas tendre la main pour qu'elle soit serrée ; joindre ses deux paumes ensemble et pencher la tête en avant en signe de courtoisie.

Dans les pays du Maghreb et dans les Émirats, ne pas apporter d'alcool, ni pour offrir ni pour sa propre consommation, et éviter de se servir de sa main gauche pour manger ou pour quoi que ce soit.

Dans ces derniers pays, lorsqu'on est assis, ne pas faire voir la semelle extérieure de ses chaussures ; c'est un geste méprisable.

Dans les pays scandinaves, on n'assoit pas son invité d'honneur à droite mais à gauche.

En Grande-Bretagne, on ne se présente pas au *breakfast* en robe de chambre (ailleurs non plus !), on ne refuse pas le porto servi avec le délicieux stilton et on ne reste pas chez ses hôtes au-delà de 23 heures.

Dans les pays d'Europe méridionale, ne pas s'étonner de voir les dents des fourchettes et le galbe des cuillers retournés vers la nappe.

☼ Au cours de négociations internationales, il est impératif d'être ponctuel, de respecter l'ordre du jour, d'écouter et d'apprécier la contribution des autres.

Être parfaitement informé des erreurs à ne pas commettre dans le pays où l'on va.

Se montrer concret en négociant.

Favoriser les relations solides et à long terme en montrant de l'intérêt.

S'adapter au système de négociations choisi par son hôte.

Se souvenir qu'en dehors de l'Amérique du Nord on n'aime pas faire des affaires au petit déjeuner.

⚡ On n'impose pas ses vues, on n'émet pas d'opinions dogmatiques, on ne négocie pas avec agressivité, on ne tente pas d'imposer un rythme, on ne fait pas fi des échéances.

Ne pas se laisser tenter par la familiarité.

Ne pas passer outre à l'ordre hiérarchique.

C'est dans les relations internationales qu'il faut veiller le plus particulièrement à être politiquement correct. Il n'est plus question de faire des plans de Nègre, d'être déçu de ne pas trouver le Pérou, de prendre quelqu'un pour une tête de Turc, de se saouler comme un Polonais, d'être rusé comme un Sioux ou d'être pingre comme un Écossais.

Les affaires et le sport

*Le businessman américain est un monsieur
qui, toute la matinée, parle de golf à son bureau et qui,
le reste de la journée, discute affaires sur un terrain de golf.*
JERRY LEWIS

Depuis une vingtaine d'années, le golf n'est plus un sport réservé à une classe privilégiée, mais il convient à toute personne qui a le sens des affaires. C'est aussi un moyen idéal de faire plaisir à un client.

AVEC UN CLIENT

✿ S'offrir à conduire la voiturette.

Se proposer pour l'inscription du pointage.

Féliciter le gagnant.

Se charger de tous les frais.

Connaître les règles du jeu.

Observer scrupuleusement les règles du *fair-play*.

Être silencieux et s'éloigner d'un joueur qui se prépare à jouer.

Dans certaines situations, se résigner à laisser gagner le client.

Payer les frais inhérents à la réparation du vert si on l'a abîmé.

Ramasser ses balles après que le groupe a fini de jouer.

S'habiller d'un bermuda, d'un pantalon de golf, d'une jupe trois quarts, d'une jupe-culotte, de chaussures de golf, et d'une visière ou d'une casquette.

Ne pas jurer ni faire usage de mots violents.

Ne pas boire d'alcool.

Ne pas donner de leçons à son client.

Ne pas lancer ses bâtons de golf.

Ne pas avoir de téléphone cellulaire sur soi ; si oui, le laisser en mode muet.

Ne pas se présenter en jeans, même blanc.

Les subtilités en affaires

Dans l'œil et le cœur des gens, il vaut mieux apparaître comme un spartiate que comme un sybarite.

Est-il possible que Platon ait dit : « Les aptitudes naturelles ont été semblablement distribuées dans les vivants des deux sexes ; la femme doit avoir naturellement part aux mêmes activités que l'homme. » ? Ô femmes ! Adhérons au platonisme !

Garder en mémoire le vieil adage : « La courtoisie, c'est comme le parachute : quand on n'en a pas, on s'écrase ! »

LA FEMME ET L'HOMME COURTOIS

✿ Lorsqu'ils prennent la parole, ils sont conscients de prononcer des paroles sensées et s'efforcent d'y glisser quelques mots d'esprit. Ils savent quoi dire et surtout quoi ne pas dire.

⚡ **Leur discours n'est pas préjudiciable et ne tend pas à créer de malaise.**

✿ Leur silence est éloquent et doit faire preuve d'écoute. Écouter est une attitude active.

⚡ **Ils ne doivent pas montrer des signes d'ennui ou de désintérêt.**

☼ Ils sont virtuoses dans la manière d'engager une conversation.

Ils réfléchissent bien avant d'ouvrir la bouche et après l'avoir fermée également, dans le but de corriger le tir, s'il y a lieu.

⚡ **S'ils sont victimes d'une remarque désagréable ou d'un comportement indigne, ils n'usent pas de représailles et ne se montrent pas vindicatifs.**

☼ Ils permettent toujours aux autres de terminer leur phrase.

⚡ **Même si leur interlocuteur est fade et assommant, ils ne tentent pas de l'effacer pour montrer à quel point eux-mêmes sont brillants.**

☼ Ils sont mesurés quand ils jugent les actions des autres, que ce soit dans leur vie publique ou privée.

⚡ **Ils ne tirent pas de conclusion définitive sur les interventions des autres.**

Ils ne participent pas non plus à la diffusion de potins et de scandales.

☼ À l'annonce du mariage de deux amis ou de deux collègues, ils offrent leurs félicitations au fiancé et leurs meilleurs vœux à la fiancée.

⚡ **Dans ces circonstances, ils évitent toute référence salace ou de mauvais goût à caractère sexuel.**

☼ Ils parlent une langue correcte appuyée sur leur connaissance de la grammaire.

⚡ **Ils ne corrigent pas les fautes des autres, même si cela est très tentant.**

☼ Lorsqu'ils emploient des phrases d'une autre culture, ils savent les prononcer et ils en connaissent le sens.

⚡ **Ils n'étalent pas leur culture inutilement (surtout s'ils n'en ont pas).**

☼ Devant des personnes de cultures différentes, ils veillent à bien s'exprimer, à bien articuler et à avoir un débit plus lent afin d'éviter des malentendus.

S'ils n'arrivent pas à comprendre une personne d'une autre culture, ils lui expliquent gentiment qu'ils ressentent certaines difficultés à établir la liaison. En fait, ils doivent donner l'impression qu'ils se blâment eux-mêmes de ne pas bien saisir l'essence de la conversation.

Quand il y a une barrière de langue, il faut avoir recours à un interprète. Parfois, il est utile de suggérer d'écrire sa pensée sur papier.

Même quand ils parlent leur langue maternelle, ils n'utilisent pas de mots savants dont ils ne connaissent pas le sens et pour lesquels ils doivent recourir au dictionnaire.

Ils ne reprochent pas à quelqu'un de ne pas avoir appris une autre langue que la sienne.

Même dans le débat le plus enflammé, ils n'élèvent pas la voix pour faire entendre leurs arguments et ne s'adressent à personne en hurlant.

En passant à travers une foule de gens à une réception ou dans un salon commercial, ils diront : «Excusez-moi» et non «Je m'excuse» ni «Pardon».

Ils ne demandent pas à une dame si elle est enceinte et ne s'enquièrent pas de l'âge de quiconque.

Quand on leur demande leur âge, ils répondent avec une certaine légèreté qu'ils regrettent que cette question ne leur paraisse pas pertinente.

Ils ne répondent pas : «Quel âge me donnez-vous ?» ou «Pourquoi me posez-vous cette question ?»

Si on leur demande quel salaire ils gagnent, ils répondent d'un air évasif qu'ils préfèrent ne pas s'entretenir de ce sujet ou qu'ils n'ont pas l'habitude de le révéler à d'autres qu'au ministère du Revenu.

Ils ne réagissent pas en disant : «Pas assez à mon goût» ou «Cela ne vous regarde pas (même si c'est vrai)» ou «Quel manque de tact !»

Quand ils engagent une conversation téléphonique, ils ont la responsabilité de la terminer.

⛈ **Ils n'utilisent pas leur téléphone cellulaire dans les endroits publics et surtout pas au restaurant.**

☼ S'ils réalisent qu'ils ne peuvent pas honorer leur parole dans un engagement, ils doivent immédiatement en prévenir les organisateurs et les hôtes. Ils doivent fournir les raisons de ce retournement de situation et offrir des excuses.

Lorsqu'ils reçoivent plusieurs invitations pour une même date, ils donnent priorité à la première.

⛈ **Lorsqu'ils reçoivent des invitations, ils ne choisissent pas celle qui leur apparaît la plus attirante.**

Une fois à table, ils ne s'engagent pas dans des discussions agressives et n'attaquent pas de sujets à controverse. La table est un endroit exclusivement fait de pure générosité pour offrir du plaisir et assurer la convivialité.

☼ Quand on leur parle de projets qu'ils jugent fous ou extravagants, ils se taisent, car ils savent qu'en pareille circonstance la logique n'a pas gain de cause sur l'irrationnel.

⛈ **Ils ne font aucune tentative pour ramener à la raison les impulsifs qui sont emportés dans leur envolée lyrique et coincés dans leur propre piège.**

☼ À des questions directes et surtout sujettes à controverse, ils offrent des réponses directes.

⛈ **À de telles questions, ils ne se montrent pas évasifs et ne tentent pas de les contourner ni de les éliminer. Être direct n'a rien à voir avec être fruste.**

☼ Au cours des conversations à caractère social et dans le but de créer des liens avec de nouvelles personnes, ils font participer celles-ci en leur demandant souvent leur avis : «Qu'en pensez-vous ?»

⛈ **Ils n'affirment pas connaître des célébrités, avoir lu le dernier roman en librairie (ou le dernier traité sur l'étiquette) ou avoir vu le film à la mode, avoir visité tel pays quand ce n'est pas vrai et ils ne parsèment pas leur conversation de noms de personnes célèbres.**

☼ S'ils s'aperçoivent que la bretelle du soutien-gorge d'une connaissance ou d'une collègue est visible, ils lui en font aimablement la remarque à l'oreille.

⚡ **En aucun cas, ils ne prendront l'initiative de corriger l'aspect de la lingerie eux-mêmes ; la dame est tout à fait apte à le faire.**

Surtout ne pas déclarer : « Oh ! Je vois que vous faites vos achats chez Victoria's Secret ! »

☼ Ils savent que, pour être de brillants causeurs, ils doivent poser les bonnes questions plutôt que de parler d'eux-mêmes.

⚡ **Ils ne parlent pas de leurs exploits et ne disent pas : « Je vous l'avais bien dit ! »**

☼ Lorsqu'une promotion leur est accordée, ils manifestent leur plaisir sans trop d'insistance et entretiennent les mêmes relations courtoises qu'avant avec leurs collègues. Ils peuvent les inviter à un déjeuner pour fêter l'événement et se montrer pleins de cordialité. Les collègues doivent faire preuve de solidarité, se réjouir et offrir leurs félicitations.

⚡ **Ils ne deviennent pas arrogants, fats ou impertinents et ne se vantent pas de leurs qualités exceptionnelles.**

☼ Ils savent s'excuser et accepter les excuses des autres et disent merci même quand on leur adresse de faux éloges.

⚡ **Ils ne rejettent pas les excuses en prétextant qu'elles ne sont pas à la hauteur du mal commis et ne montrent aucune mauvaise foi. Ils ne font pas de compliments qui ne sont pas sincères.**

☼ Ils ont toujours l'allure impeccable, les cheveux et les ongles soignés et portent en tout temps dans leur poche ou leur sac un mouchoir propre prêt pour consoler quelqu'un ou pour éternuer.

⚡ **Lorsqu'ils ont un service ou une contribution à demander, ils n'oublient pas de dire « s'il vous plaît » ni « merci ».**

☼ Ils connaissent la valeur et le sens du mot « non » qui leur est adressé et s'y soumettent.

Ils en usent pour dire qu'un fait n'existe pas. Ex : « Êtes-vous souffrant ? » – « Non, pas du tout. »

⚡ **Ils n'utilisent pas « non » pour signifier un refus. En affaires, il n'est pas nuancé de refuser une proposition. Il faut refaire la phrase pour qu'on n'ait pas à paraître brutal : « Cela me paraît difficile » est plus facile à accepter qu'un « non » qui résonne comme un coup de gong.**

☼ Mais... ils doivent opposer un refus à une personne qui leur propose une transaction équivoque en disant : « Non ! et c'est ma réponse finale ! »

⚡ **À une soumission déloyale, ils ne répliquent pas : « Comme vous êtes malhonnête ! » – « Comprenez-vous ce que "non" veut dire ? » – « Vous commencez à m'écœurer ! ».**

☼ S'ils sont victimes d'une insulte, ils ont immédiatement la bonne réaction : ils se taisent.

Ils n'émettent pas d'opinions absolues et savent reconnaître que les avis des autres sont valables aussi.

⚡ **Ils ne rendent pas une offense.**

Ils n'essaient pas de faire des remarques désobligeantes sur le comportement des autres ; ils leur montrent l'exemple.

☼ En présence d'un collègue dont ils viennent d'apprendre qu'il a reçu le diagnostic d'une maladie grave, ils lui demanderont avec naturel : « Bonjour, Albert, comment vas-tu ? » Cette question n'implique pas qu'ils connaissent les pronostics de la maladie et laisse ainsi à l'autre toute la liberté de répondre à sa guise.

⚡ **Ils ne feront pas de remarques maladroites et assassines : « Tu as l'air bien malgré tout ! » – « Comme tu dois regretter maintenant de ne pas avoir fait plus attention à ta santé ! » et ne poseront pas de questions idiotes : « As-tu préparé ton testament ? » – « T'a-t-on donné une échéance ? »**

☼ Quand ils sont en compagnie d'un collègue au comportement douteux, ils se taisent, au moins devant les autres.

⚡ **Sous aucun prétexte ils ne s'excusent au nom de leur rustique collègue, ce qui ajouterait à l'embarras.**

Ils ne froissent pas le rustaud (ou le Wisigoth) en tentant de l'éduquer en public ou en faisant semblant de ne pas le connaître.

☼ Ils sont conscients que la politesse n'a rien à voir avec le snobisme.

⚡ **Le snobisme est le fait d'attacher de l'importance à ce qui n'en a pas, de donner de la valeur sans discernement aux tendances de la mode, de juger quelqu'un sur son apparence plutôt que sur ce qu'il dit et de ne pas faire la distinction entre le bon et le mauvais goût.**

☼ Lorsqu'on leur emprunte de l'argent et qu'ils ne consentent pas à le prêter, ils expriment leur refus avec égard et leurs regrets que l'autre soit dans une situation difficile.

⚡ **S'ils n'acceptent pas de prêter de l'argent, ils ne proposent pas d'aller faire cette requête à la banque (et pourtant c'est bien là qu'il faut aller) et ne demandent pas à l'emprunteur comment il en est venu à la conclusion qu'ils ont une fortune à leur disposition. Ils n'examinent pas non plus son costume Armani avec l'air songeur et perplexe.**

☼ En visitant un ami, un collègue ou un très bon client à l'hôpital, ils veillent à ce que leur visite soit courte. Ils lui apportent des fleurs, des journaux, des magazines ou encore un livre dont ils savent qu'il appréciera la lecture.

⚡ **Lorsqu'ils visitent quelqu'un à l'hôpital, ils n'offrent pas de chocolats ni d'alcool, ne s'assoient pas sur le lit, ne déposent pas leur parapluie ou autre effet au pied du lit et ne laissent pas s'échapper des petites phrases inconvenantes du style : « C'est dans cet hôpital que tante Émilie est décédée. » - « J'espère que tu aimes le Jell-O. » - « J'espère que ta compagnie d'assurances prend bien soin de ton séjour. »**

☼ Ils savent trouver le mot pour mettre fin à une conversation.

Ils savent à quel moment partir et de quelle manière le faire.

⚡ **Ils ne partent pas sans saluer ni remercier leurs hôtes, ni sans exprimer des vœux de quelque nature à l'invité d'honneur.**

La femme et l'homme courtois qui voient leur carrière couronnée de succès ont leur place dans le *Who's Who*.

Bibliographie

BRIDGES, John et Bryan CURTIS. *As a Gentleman Would Say,* Rutledge Hill Press, Nashville Tennessee, 2001.

BALDRIGE, Letitia. *The New Manners for the 90's,* Rawson Associates, New York, 1990.

MITCHELL, Mary. *The Complete Idiot's Guide to Etiquette,* Alpha Books, Indianapolis, 2000.

DU COFFRE, Marguerite. *Le Manuel de l'étiquette et du protocole des affaires,* Libre Expression, Montréal, 1990.

Des extraits de mon livre *Du tic au tact,* Éditions Stanké, Montréal, 1995 ont servi à ce présent ouvrage.

Index

À vos souhaits 34
À votre santé 114
Accessoires de table, disposer les 93-97
Accessoires de table, l'utilisation des 97-100
Accolade 9
Accueil 40 47
Addition, régler l' 117-119
Aéroports 146
Affaires internationales 151-154
Allergies 86, 87, 110
Allô 16, 57
Anglicismes 76
Apparence, l' 25
Apéritif 128-130
Artichaut, comment manger l' 104-105
Ascenseur 41, 42
Asperges, comment manger les 104
Assignation des places 87, 88, 90
Autobus 147
Avec plaisir 47
Avion 149
Avocat, comment manger l' 105

Bâillement 33
Baiser, le 19
Bermuda 27
Bijoux 28, 30, 142
Blague 112
Blague de mauvais goût 133, 134
Bras croisés 31, 36, 81
Bras de chemise 31
Bristol 41, 54, 55
Bruits 33

C'est à quel sujet 50
Cadeau 59, 60, 66, 140-145
Canapé, comment manger un 129, 130
Carte 142
Carte de visite 55, 65, 66
Cartes commerciales 55
Carton professionnel personnalisé 41, 54, 56
Cartons de table 90
Cellulaire 51, 81, 148, 160
Charisme 24
Charme 15
Chaussettes blanches 30
Chaussures de tennis 30
Cher 55

Cher monsieur 57
Citoyen du monde 38
Civisme 7, 21, 44
Client 40
Clin d'œil 36, 37
Cocktail 122-131
Coiffure 32
Collègues 39
Communication 46-66
Compliment 121, 131
Comptoir administratif 44, 45
Condoléances 54, 62, 63
Confiance en soi 24
Congédier 138
Contact visuel 75
Conversation 12, 72-76, 111-113, 147, 149, 157-163
Correspondance 54-62
Courriel 63
Courrier électronique 62-65
Courtoisie 22, 38, 39, 47, 49, 51, 63, 66, 73, 77, 157
Couverts 93-100
Crevettes, comment manger les 107
Critiquer, ne pas 100, 115, 138, 144, 151
Cuisses de grenouilles, comment manger les 106
Curriculum vitæ 54, 68

Décolleté 27
Déjeuner d'affaires 88, 89, 93, 94, 101
Démission, remettre sa 138
Dîner 60
Dîner d'affaires 95
Dîner prié 86, 87
Discours 128, 129, 157

Eau de toilette 32, 33, 43
Élégance 24, 27, 28
Elle est déjà en ligne; puis-je vous faire patienter 49
Emploi, recherche d'un 67-71
Enchanté 16

Entrevue pour un emploi 69
Équipe 79
Escargots, comment manger les 106
Éternuement 23, 33, 34, 42, 92
Étiquette 7
Étiquette au bureau 38-43
Étranger, à l' 151-154
Excuses 54, 62, 80, 115, 159, 161, 162
Expertise 24
Facture 86
Faire la queue 44
Familiarité 75, 77, 154
Félicitations 54, 61, 63, 149
Femme au travail 136
Filtrer un appel 49
Fixation du regard 35
Fleurs 61, 66, 141, 145, 152
Formule d'appel 55, 57, 64
Formule finale 64
Formule finale d'une lettre 58, 59
Formule de politesse 55, 63
Fromages, comment manger les 108, 109
Fruits, comment manger les 109, 110
Fumer 41, 45, 69, 85, 102, 103, 115, 116-117, 128

Gares 146
Gauchers 97, 100
Golf 155
Gomme 80

Haleine 25, 43
Homard, comment manger le 107
Hôte 83, 85, 86, 90
Hôtesse 83, 85, 90
Huîtres, comment manger les 106
Humour 132

Îlots de travail 42-43
Image, l' 24-31, 47, 54, 67, 69, 79
Impression, première 24
Internet 62, 63, 65, 69

Invitation 54, 124-127
Invité 87
Invité d'honneur 86

Jambes croisées 36
Jeans 27, 29, 156
Jurons 76, 82

Langage corporel 35-37
Langage vulgaire 76
Leadership 24
Lettre 54, 57
Lettre d'affaires 57, 58
Lettre d'excuses 62
Lettre de condoléances 62
Lettre de félicitations 61
Lettre de références 59
Lettres de remerciement 59-61
Licenciement 138
Lieux publics 51
Ligne d'accueil 127
Logo de l'entreprise 65
Lunch d'affaires 88, 89, 93, 94,
  101

Ma p'tite madame 49
Main, la mauvaise poignée de 20
Main, bonne poignée de 19
Main, poignée de 130
Main broyeuse 17
Main dans la poche 30
Main gaillarde 18
Main hésitante 17
Main insolente 18
Main maudite 18
Main molle 17
Main nounours 18
Main obstinée 18
Main précieuse 18
Main qui nage 18
Main-remorque 18
Mains dans ses poches 31
Mains près de son corps 31
Maintien à table 91-92
Maintien de l'homme cadre 31,
  32

Maintien de la femme cadre 30,
  31
Manger, comment 101-110
Maquillage 25
Mauvais numéro 50
Menu 85, 90, 96
Messagerie vocale 52
Messages 48
Métro 148
Mise en attente 50
Mon p'tit monsieur 49
Monogramme 65

Négociations 135, 154
Note de remerciement 41

O.K. 70, 76, 127
Odeurs agressives 33
Œuf, comment manger l' 105-
  106
Ongles 25
Ordre du jour 79

Pain, comment manger le 103
Pantalon 27
Papeterie 54
Papier gravé à son nom 54
Papier personnalisé 54
Parfum 25, 32, 33, 42, 69, 129,
  142
Pâtes, comment manger les 107
Pellicules 32
Pet 34
Place d'honneur 90
Plan de table 91
Poignée de main 17-20, 69
Poisson, comment manger le 106-
  107
Polémique 112
Politesse, formule de 21-23
Recommandé :
  – à votre santé 114
  – au revoir 23
  – avec plaisir 47
  – bon appétit 114
  – cela me paraît difficile 162

– cher monsieur 57
– comment allez-vous 47
– comment puis-je vous aider 47
– elle est déjà en ligne, puis-je vous faire patienter 49
– excusez-moi 22, 23
– je vous en prie 22
– merci 22
– O.K. 127
– pardon 23
– puis-je annoncer qui l'appelle 49
– puis-je lui dire qui l'appelle 49
– puis-je vous annoncer 48
– s'il vous plaît 22, 93, 122
– veuillez m'excuser 23
À proscrire :
– à vos souhaits 34
– à votre service 23
– allô 16, 57
– bienvenue 23
– de rien 23
– enchanté 16
– je m'excuse 23
– ma p'tite madame 49
– mon p'tit monsieur 49
– pas de problème 127
– qui est à l'appareil 49
– qui parle 49
– vous n'auriez pas dû et je suis sincère 116
Politesse 52
Pomme de terre, comment manger la 105
Ponctualité 69
Porte-documents 41, 69, 81
Postiche 32
Pourboires 117
Préjugés 136
Présentations 10
Présentations professionnelles 9-11
Présentations sociales 12-14
Professionnalisme au féminin 136

R.S.V.P. 124, 126, 127
Raison sociale 54
Réception 122-131
Réceptionniste 48, 49
Références 70
Relations internationales 151-154
Relations professionnelles 39
Remerciement 54, 55, 59-61, 63, 82, 112, 113, 116, 131, 141-145, 152
Repas d'affaires 83-119
Répondeur 52, 53
Réseautage 121, 129, 131
Réservation 85
Restaurant 84, 85, 90, 93
Retard 41, 127
Retardataire 80, 85, 86, 87
Réunion 79-82
Rire 132
Rot 33
Rouge à lèvres 100

Sac à main 41, 81
Salade, comment manger la 104
Sandale 30
Savoir-vivre 21, 38, 42, 79
Séduction 133
Séduction en milieu professionnel 120-121
Service à la française 101
Service à la russe 101
Serviette de table 90
Servir, comment 101-103
Short 27
Simplicité 24
Site internet 62, 63, 69
«Small talk» 72-76, 129
Snobisme 163
Soupe, comment manger la 104
Sourire 37, 69
Sport 155
Style 24
Supérieurs hiérarchiques 39, 40
Surnom 10, 39, 82

Table, dresser la 93-100
Table, maintien à 91-92
Table, plan de la 90
Table de réunion 81
Tabous 140
Tatouage 28, 30
Taxi 146-147
Téléavertisseur 51, 52
Télécopieur 53, 69
Téléphone 47-51
Tenue vestimentaire 27-30, 67, 69, 129, 149-150, 156
Tenue vestimentaire pour l'homme 28-30
Tenue vestimentaire pour la femme 27, 28
Toasts 113
Toux 33
Train 148-149
Transpiration 25, 35
Transport, moyens de 146-150

Tremblement de la voix 35
Tu ou vous 77, 78
Tutoiement 49, 77, 78

Ustensiles 93-100

Verres 94, 95, 97, 99, 100, 101, 113-115, 128, 130
Veste, enlever sa 31
Veste déboutonnée 31
Vestiaire 40
Vêtements et accessoires 26-30
Vin 94, 95, 97, 100, 101, 102, 114, 115, 142
Vin, comment approuver un 100-101
Vins, choix des 86
Vœux d'anniversaire 54
Vouvoiement 48, 77, 78, 93
Voyager 146-154
Vulgarité 132

Table des matières

Préface 5
Avant-propos 7
Les présentations professionnelles 9
Les présentations sociales 12
Se présenter soi-même 15
La poignée de main 17
Les formules de politesse 21
L'image 24
   L'apparence 25
   Les vêtements et accessoires 26
   Le code vestimentaire pour la femme 27
   Le code vestimentaire pour l'homme 28
   Le maintien de la femme cadre 30
   Le maintien de l'homme cadre 31
   La coiffure 32
   Le parfum 32
   Les bruits 33
Le langage corporel 35
   Pour séduire ou convaincre 36
   Les attitudes qui expriment la défensive
   ou marquent le désaccord 36
   Les gestes pour appeler à la connivence 36
   Les gestes symboliques à réprimer 37
L'étiquette au bureau 38
   Les collègues 39

Les supérieurs hiérarchiques 39

Le client 40

Le visiteur 40

La politesse dans l'ascenseur 41

Le savoir-vivre dans les îlots de travail 42

Le comptoir administratif 44

La communication 46

Le téléphone 47

Le cellulaire, le téléavertisseur 51

Le répondeur 52

Le télécopieur (fac simílé) 53

La correspondance 54

Lettres d'affaires de circonstance 58

Exemples proposés pour précéder 58

la formule finale d'une lettre 58

Lettres de remerciement 59

Comment remercier pour un dîner prié 60

Comment remercier un(e) invité(e) qui a fait livrer

des fleurs le lendemain d'une soirée 60

Comment remercier pour une faveur 61

Lettre de félicitations 61

Lettre d'excuses 61

Lettre de condoléances 62

Courrier électronique (Internet) 62

La carte de visite 64

À la recherche d'un emploi 67

Entrevue pour un emploi 69

Le « small talk » conduit au « big talk » 72

Avec un visiteur international 75

Tu ou vous ? 77

Réussir une bonne réunion 79

Le repas d'affaires 83

Comment choisir un restaurant 84

Le rôle de l'hôtesse ou de l'hôte 85

La responsabilité de l'invité 87

Assignation des places (schémas) 88

Le plan de la table et l'assignation des places 90

Le maintien 91

Comment s'adresser au personnel de restaurant 93

Comment disposer les accessoires 93

L'utilisation des accessoires 97
Comment approuver un vin 100
Comment se servir et manger 101
Comment manger quoi 103
L'art de la conversation à table 111
La science des toasts 113
Les difficultés éventuelles 115
Les commandements du fumeur 116
Comment régler l'addition et offrir des pourboires . . 117
La séduction en milieu professionnel 120
Le cocktail 122
Recommandations aux deux genres 131
Les affaires et l'humour 132
La différence est dans le professionnalisme 135
Les gestes graves 137
Comment remettre sa démission 138
Comment congédier 138
Les cadeaux en affaires 140
Les moyens de transport et les affaires 146
Taxi, limousine, voiture officielle 146
Autobus 147
Métro 148
Train 148
Avion 149
Les affaires internationales 151
Les affaires et le sport 155
Avec un client 155
Les subtilités en affaires 157
La femme et l'homme courtois 157
Bibliographie 165
Index 167

Transcontinental
IMPRESSION
IMPRIMERIE GAGNÉ

IMPRIMÉ AU CANADA